この一冊で日本史と世界史が面白いほどわかる！

歴史の謎研究会［編］

青春出版社

教科書とはひと味違う大人の歴史教室！——はじめに

学校で教わる「世界史」と「日本史」という分類は不思議である。世界史とは、本当の世界史ではなく「日本以外の歴史」、つまり「外国史」なのだ。世界史の中に日本の歴史は登場しない。これが、世界史を苦手にさせる理由のひとつである。あまりに、自分と関係がないからだ。

さらに、「歴史」の勉強がいやになるのが、年号の暗記である。「大化の改新、無理仕事（645年）」「いいくに（1192）作ろう鎌倉幕府」などと覚えたことのある人は多いだろう。試験でよい点をとるには暗記が必要だが、歴史とは点ではなく、線である。なにがどうしたから、こうなった——という前後の関連、全体の流れがわかることのほうが、本来は大事なはずだ。それから細かいことを調べればよい。

本書は、文明が誕生してから現在までに、世界で起きた出来事を、「流れ」に重点を置いて解説するものである。事件は、世界各地で並行して起きている。それらを完全な時系列で記述していくと、かえって混乱するので、「西洋史」と、「東洋史（中国史）と日本史」の二つに大きくわけ、それぞれを交互に記していくことにした。いずれも、政治的事件、主として権力者の交代劇が中心となっていることを、おことわりしておく。

本書によって、世界史を履修しなかった人でも、歴史の大きな流れがつかめ、四千年にわたるドラマのなかの主要事件、主要人物、主要な舞台を知っていただければ、幸いである。

歴史の謎研究会

この一冊で日本史と世界史が面白いほどわかる!●目次

① 文明の誕生 13

② ギリシャ・ローマ 29

③ 日本と中国Ⅰ　59

④ ヨーロッパとイスラム　87

⑤ 日本と中国Ⅱ

⑦ 中国と日本Ⅲ　199

⑧ 激動する世界 217

カバーイラスト■坂木浩子
協力■アルファベータ
DTP■フジマックオフィス

1

文明の誕生

文明誕生までの気の遠くなる昔の話

「人類の歴史」はいつから始まったのか。古代文明が誕生してからを「歴史」ととらえるのが一般的だが、それ以前も人類は存在した。

この有史以前の時代を「先史時代」という。文字の記録など何もないので、化石や遺跡から推測するしかない時代である。どんな人がいて、どんな事件があったのかなどは、まったく分からない。

この時代については、以前は遺跡を発掘し、発見された化石の出た地層から何万年前のものと推定していたが、DNA研究などの進歩により、もっと細かいことがわかるようになってきた。

現在主流となっている学説では、人類が誕生したのは約400万年前で、場所はアフリカサバンナという。それまでは熱帯雨林だった地域が、気候の変化により乾燥し、サバンナ（草原）となった。そのため、木の上で生活していた類人猿は、地面におりて生活しなければならなくなり、直立できるように進化していったのである。

こうして人類の祖先が生まれ、アフリカから各地へ散らばっていったと思われる。

現在の人類、つまり我々ホモ・サピエンスの直接の祖先が登場するのが約10万年前。アフリカを起源とし、ヨーロッパ、アジア、アメリカと各地に広がっていったとする説が有力である。

約9000年前になると、農耕・牧畜が始まったらしい。西アジアやイラク北部にその時代の遺跡が発見されている。石器も、ただ単に石を砕いただけの旧石器から、磨くなどの加工が施された新石器へと変化する。また、顔料で塗装されるようにもなる。「文明」がすでに芽生えているのである。

約７０００年前になると、血縁関係による「氏族」、さらに小さい「家族」というものが生まれ、「私有財産」という概念も生まれていたとされる。最古の宗教もこのころには誕生していたらしい。

古代四大文明とはそもそも何か

古代四大文明は、紀元前４０００年から２３００年の間に生まれたとされている。エジプト、メソポタミア、インダス、黄河の四大文明に共通するのは、いずれも大きな川の流域に発生したということだ。

人類発祥の地はアフリカと推定されているが、そこで生まれた人類が、ティグリス・ユーフラテス川やナイル川の流域に住み着き、文明を育んでいったわけである。これがだいたい、紀元前４０００年、つまり６０００年ほど前とされている。

■メソポタミア文明

メソポタミア文明の担い手は、シュメール人と呼ばれている。この地域をシュメールと呼ぶからだが、これは「葦の多い地方」という意味である。

メソポタミア文明の特徴としては、楔形《くさびがた》文字がすでに使われていたこと。それまでの人類には「言葉」はあったものの、「文字」

はまだなく、口から耳へ伝える以外、情報伝達手段はなかった。川の流域とはいえ、乾燥地帯だったので、メソポタミア文明では、樹木ではなく、粘土が文明の基礎になった。楔形文字も、粘土に尖った葦《あし》のペンで刻まれている。

メソポタミアに生まれ、現在もなお使われているものに、暦がある。1年を12か月、1週間を7日とするのは、このメソポタミア文明で始まったものなのだ。ただし、太陽暦ではなく、太陰暦だった。また、60進法が使われていたことも確認されている。

この古代文明は聖書の世界の原型が生まれたことでも知られている。大洪水が何度も起きており、そこから「ノアの箱舟」の物語の原型が生まれ、都市の中心には人工の丘、ジッグラト（高い峰、という意味）が築かれ、これがバベルの塔伝説になったとされている。

さらにいえば、アダムが土から作られたとする話も、粘土を基礎としたこのシュメール人の考えがベースにあるとされる。このようにユダヤ教・キリスト教の聖書の起源がメソポタミア文明にはあるのだが、一神教ではなく、多神教だったようだ。

その後、青銅器文明に発展し、ウル第一王朝という都市国家ができた。しかしこの地域に、セム族系の遊牧民であるアッカド人が侵入し、シュメールの都市国家を征服してしまい、統一国家としてアッカド王国ができる。これが紀元前2300年頃のことだ。

■エジプト文明

一方、ナイル川流域で興ったのが、エジプト文明である。デルタ地帯に氾濫で運ばれた

▶四大文明とは？

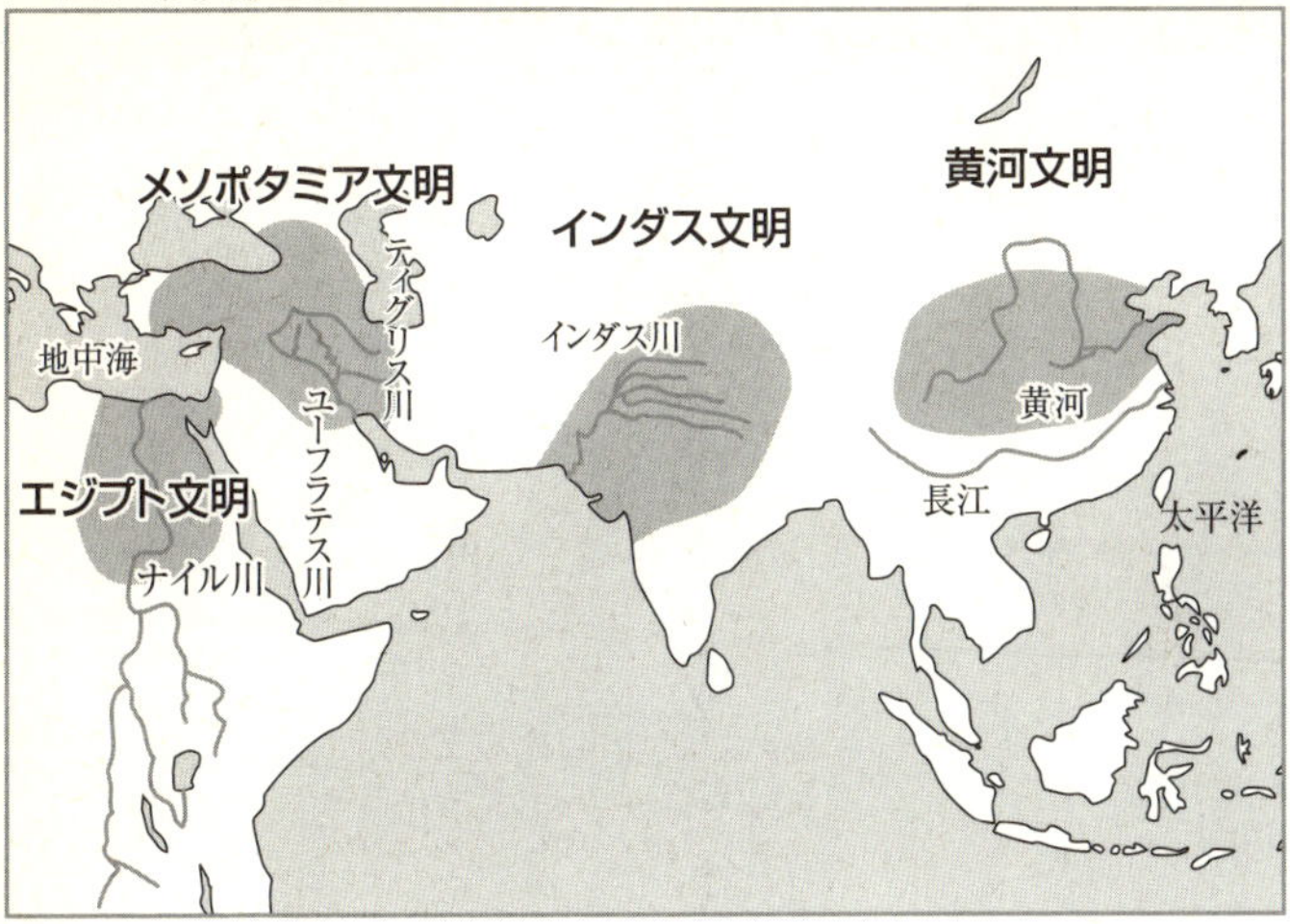

沃土を利用した農業が盛んになり、農耕社会が発展して、紀元前４０００年頃にはノモス（部族国家）があちこちにできていた。

その部族国家がしだいに統合されていき上エジプト、下エジプトの二大国家となった。そして、紀元前３０００年ごろには統一国家となる。このときの王がメネス王である。

エジプトの暦は太陽暦で、1年が３６５日だと分かっていた。数は、10進法を使っていた。

宗教は多神教なのだが、そのなかで太陽神ラーが最高の神だとされていた。そして、ファラオ（国王）が神の化身として、人民と国土を支配していた。さらに、ヒエログリフと呼ばれる文字もあり、紙の元祖といえるパピルスも発明されている。ミイラを作る技術もここで生まれた。

さて、統一国家となったエジプト王国は、その後、31の王朝が交代するものの、国家としては紀元前4世紀後半まで続いた。

■インダス文明

地中海周辺のメソポタミア、エジプトには遅れたが、いまのインドと中国でも文明が誕生した。

インダス文明は、その名のとおり、インダス川流域に紀元前2300年頃おこったと推定されている。青銅器、文字を使っていたのにくわえ、城塞、舗装道路、排水施設といった都市基盤が整備された、かなり本格的な文明である。当時の遺跡として有名なのが、モヘンジョ=ダロや、ハラッパー。

インダスは「インド」の語源だが、サンスクリット語の意味は「川」。最初に文明を築いた民族は、現在は南インドに住むドラヴィダ人と推定されている。

都市文明として栄えたインダス文明だが、その都市が必要とするレンガを焼くために流域の樹木を乱伐したために洪水が頻発し、紀元前1700年頃には、かなり衰退していたらしい。

そこに、遊牧民アーリア人が侵入してきたのが、紀元前1500年頃。先住民たちはあっさりと征服されてしまう。この地の支配者となったアーリア人は、インダス川から、湿潤なガンジス川流域に移動し、そこに新たなガンジス文明を築き、多くの部族国家ができた。紀元前6世紀には、16の都市国家があり、互いに争っていた。

さて、インドといえばカースト制度。紀元前10から7世紀には、すでに四つの階級からなるカースト制度が成立していたという。

■黄河文明

中国3000年の歴史とも、4000年の歴史ともいうが、これは歴史として語られている王朝ができてからの歴史である。文明ということであれば、いまから約6000年前まで遡ることができる。

黄河流域の肥沃な黄土地帯に農耕文明が成立したのは、紀元前4000年頃。その頃の遺跡が発掘されており、それによると、竪穴式住居があり、集落が形成されており、磨製石器や彩色してある土器を使っていた。犬や豚を飼育していたことも分かっている。

この中国最古の文化を、遺跡が発掘された地名にちなんで、仰韶《ヤンシャオ》文化という。

やがて、紀元前2300年頃になると、牛や馬を飼育し、磨いて黒くした土器、黒陶《こくとう》を使う文化が発展した。これを龍山《ロンシャン》文化という。集落は城壁で囲まれるようになり、都市国家が成立している。

■アメリカ古代文明

16世紀にヨーロッパ人が侵略し滅ぼしてしまったために、それ以前のことがはっきりしないが、アメリカ大陸にも古代から文明があったのは事実である。

アフリカで誕生したとされる人類は、1万7000年から1万3000年前のあいだには、アメリカ大陸に到達している。そして、紀元前1000年には、メソアメリカとアンデス地方に、かなり高度な文明が誕生していたと推定されている。

いまのメキシコ、グァテマラなどの中米地

文明の誕生
ギリシャ・ローマ
日本と中国 I
ヨーロッパとイスラム
日本と中国 II
ヨーロッパの展開
日本と中国 III
激動する世界

域には、紀元前1200年頃からオルメカ文明があり、紀元前400年頃まで続いた。そして、アンデスには、紀元前1000年頃からチャビン文明が存在していた。中南米よりも先に人類が到達していたはずの北米にも、文明はあったと思われるが、遺跡など具体的なかたちでの古代文明の痕跡は、まだ発見されていない。

アメリカ古代文明の特徴は、とうもろこし栽培が中心で、牛や馬などの家畜がいなかったこと、そして、鉄器、車輪、火器はなかったということである。

原始・縄文時代の日本列島はどうなっていた?

日本列島は大昔は大陸と陸続きだった。アジア大陸南部にいた古モンゴロイドという人種が、3万年ほど前にいまの日本列島にやってきた。

いまのところ最古とされている遺跡が、1946年に発見された岩宿の遺跡で、日本にも旧石器時代があったことが確認された。その後、なんと、70万年前の遺跡が発見されたと話題になったが、捏造であることが発覚した。

縄文文化と呼ばれるものが形成されたのは、約1万3000年前とされている。このころ、海水面が上昇し日本海ができ、日本列島は大陸から分離したのである。

縄文人とは別に、1万年ほど前に新モンゴロイドという種族が生まれ、アジア各地に広がった。

そのなかの一群が、紀元前300年頃、す

でに日本海ができ大陸からは離れていた日本列島に、海路わたってきた。これが弥生人とされている。

縄文人と弥生人は、やがて混血を繰り返し、いまの日本人となる。

弥生時代は、紀元前300年頃から西暦300年頃までの約600年間とされている。だが、地域によっては縄文文化が続いていたところもある。

メソポタミア最初の支配者——アッカド王国

文明先進地域であったオリエント世界は、いくつもの王国が侵略、征服を繰り返していった。

メソポタミア地域での最初の統一国家はアッカド王国で、最初の王は紀元前2300年ごろのサルゴン。

このアッカド王国とサルゴンについては、それなりに史料も残っており、多くの伝説があるのだが、どこまでが史実かははっきりしない。

この時代、多くの王国が興っており、サルゴンは次々と征服し、帝国を築いたとされており、その版図は、「上の海（地中海）から下の海（ペルシア湾）まで」と記録にある。このアッカドが、おそらく世界初の帝国であろう。

サルゴンは五〇年以上も王位にあり、息子がその後を継いだ。

数百年後、アッカド王国も滅亡のときを迎える。かわってメソポタミアの支配者となったのはバビロンである。

小国バビロンを強国に導いたハンムラビ

バビロンの初代王はスムアブムで紀元前1894年に王位に就いた。スムアブムはバビロンの地に新たな王国を築くと、周辺のアムル系の小さな都市国家と戦い、次々と支配下に置いていった。だが、その死後、離反した都市国家との戦いに後継者は明け暮れることになった。

この王朝を、バビロン第一王朝とも、古バビロニア王国ともいう。

この古バビロニア王国第六代の王が、ハンムラビである。紀元前1750年ごろの人物だ。彼によって、初めてメソポタミア地域全域が統一される。彼が王位に就いた時点では、バビロンは小国だった。だが、周辺の国々を侵略し、メソポタミア地方を統一した。

ハンムラビは、もちろん征服戦争だけに明け暮れていたのではない。治水・灌漑事業も熱心に行なった。

ハンムラビの名は、『ハンムラビ法典』という法律によっても残っている。「目には目を、歯には歯を」で有名な法律である。もちろん、この条文だけでなく、いまでいう刑法、民法、商法にあたる多岐な内容が網羅された法体系である。

謎の民族「海の民」の登場

古バビロニア王国の繁栄は、数百年は続いたらしい。だが、紀元前1600年ごろの第

▶オリエントの変遷

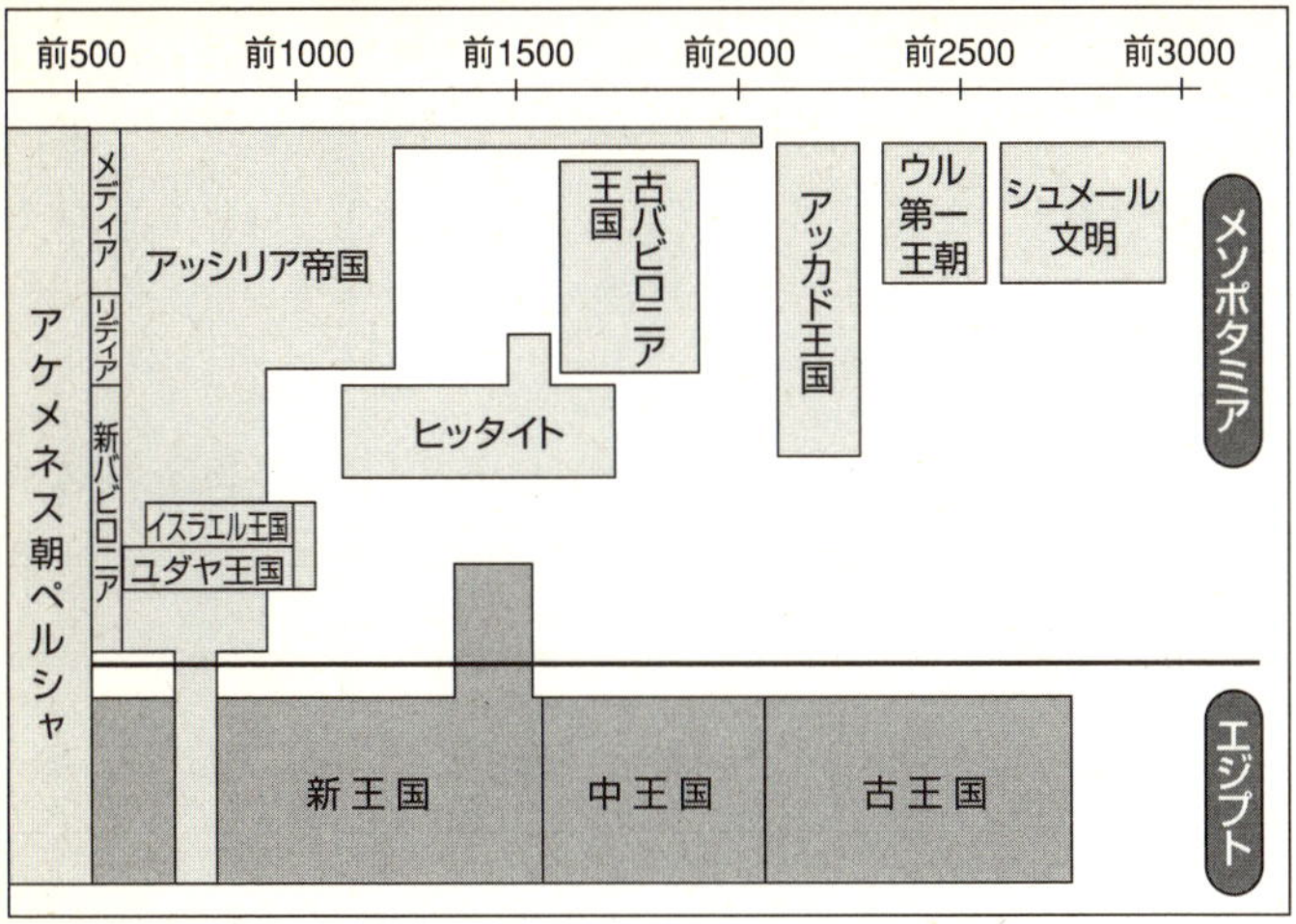

11代王サムスディタナの時代に、古バビロニア王国は滅びてしまう。紀元前1530年頃のことである。

攻めたのは、ムルシリ1世に率いられたヒッタイトだった。彼らは鉄製の武器を持っていた。当時としては最新鋭の兵器である。

そのヒッタイト人の天下は、紀元前12世紀まで続いた。しかし、やがて衰退していく。それとともに彼らが独占していた鉄器がオリエント世界全体に広がっていく。

次に登場するのが「海の民」である。この「海の民」については、記録がなく、どこから来たどんな人々だったのかは分からない。ともかく、海からやってきて、強奪・略奪・破壊の限りを尽くしたらしい。その結果、ヒッタイトだけでなく、エーゲ海に栄えていたクレタ文明も滅んでしまう。「海の民」は滅ぼしただけで、その後に自分たちの国家を建設したわけでもない。そのまま、歴史から消えてしまうのである。古代史最大の謎のひとつである。

古代オリエント、統一への道のり

オリエント世界がとりあえず統一されるのは、前671年、アッシリアによってだった。アッシリア人は鉄製の武器を持ち、これによって征服戦争で次々と勝利していった。

だが、このアッシリア帝国は50年ほどでその歴史を終えてしまう。

征服した地域の住民を強制的に移住させたり、重税をかけたために民心が離れてしまったのが、最大の理由のようだ。力で支配しようとしたが、ますます人々の反発を招き、諸民族が叛乱を起こし、崩壊へとつながるのである。

こうして、前612年、アッシリア帝国は崩壊し、新バビロニア、メディア、リディア、エジプトの四つに分裂した。

出エジプト、バビロン捕囚からユダヤ教誕生まで

世界史上の大事件のなかの多くが、つきつめると、ユダヤ教、キリスト教、そしてイスラム教の相互の争いである。

そのユダヤ教が生まれるきっかけとなったのが、バビロン捕囚。

紀元前586年から538年までの事件である。

▶ヘブライ王国の分裂

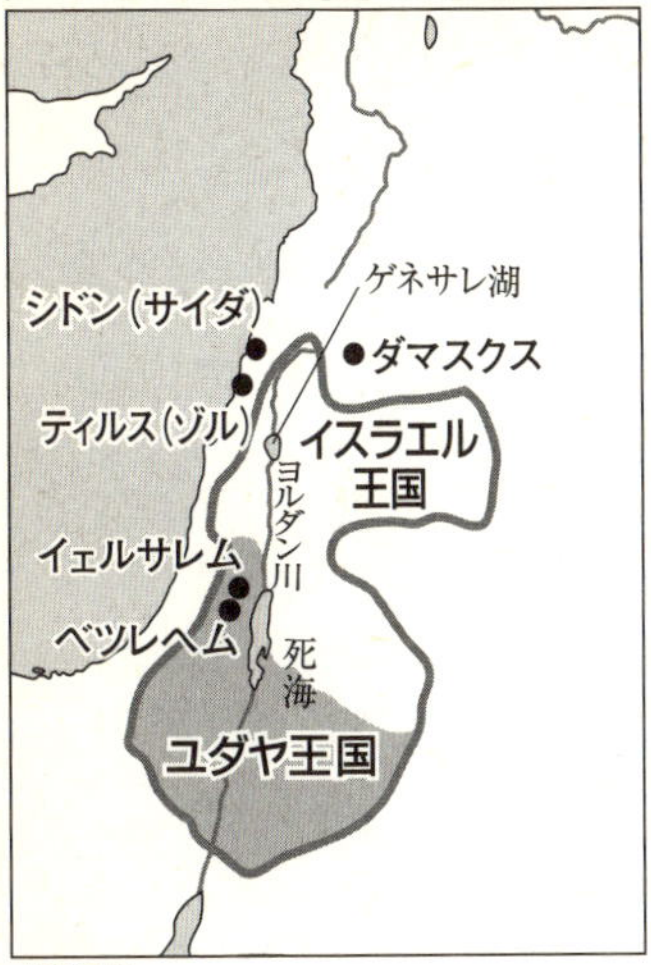

分裂後

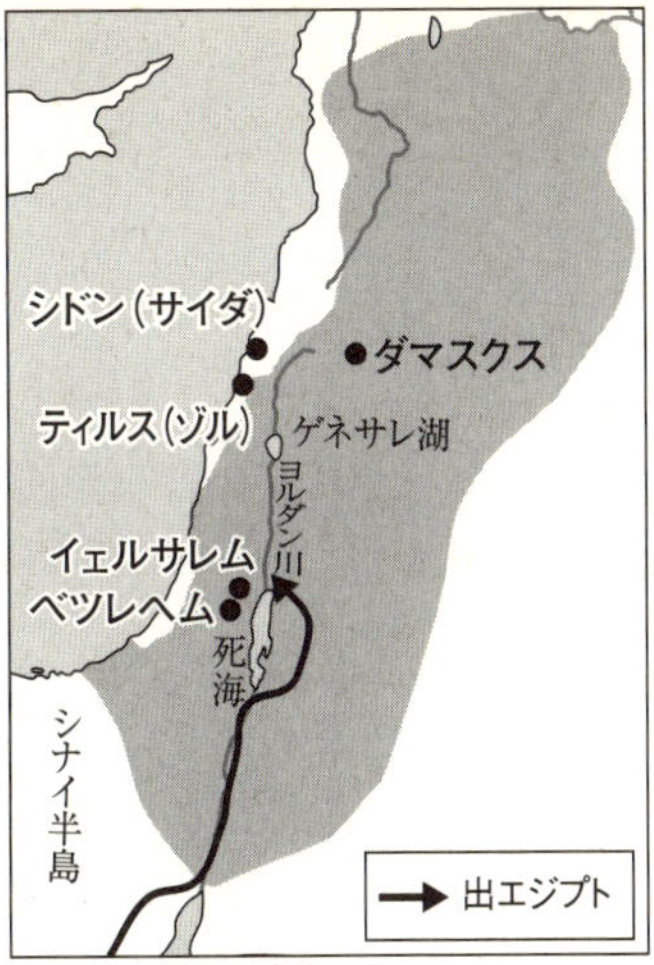

ソロモン王の時代

誰が囚われの身となったのかというと、ユダヤ人である。

イスラエル人ともヘブライ人とも呼ばれる人々が、アラビア半島からやってきて、現在のパレスチナに住み着いたのは、紀元前1500年頃とされている。その一部は、さらにエジプトに移住した。エジプトが新王国の時代である。

ところが、エジプト新王国での王朝交代により、新しい王（ファラオ）は、ヘブライ人を弾圧し、奴隷状態に置いた。そこで、これではたまらないと、エジプトを脱出し故郷パレスチナに向かった。このエジプト脱出を指導したのが、「十戒」で有名なモーゼである。

モーゼたちはシナイ半島まで辿り着くが、苦難の放浪生活を強いられた。そのとき、唯一神ヤハウェの啓示をモーゼが受け、脱出に成功したことになっている。

このヤハウェは、もともとはシナイ山の自然神だったらしいが、このときからヘブライ人の神となるのである。

パレスチナに戻ったヘブライ人が、先住民であるペリシテ人（パレスチナとは、「ペリシテ人の土地」という意味）との戦いに勝利し、ヘブライ王国を建国するのが、紀元前11世紀のことである。第二代のダヴィデ王の時代に、エルサレムを首都とし、つづいて紀元前960年に即位した第三代のソロモン王の時代に神殿が建てられ、ヘブライ王国は全盛期を迎えた。映画などでもおなじみの、「ソロモンとシバの女王の知恵比べ」はこの時代のエピソードである。

しかし、ソロモン王の死後、紀元前922年に、王国は南北に分裂し、北はイスラエル王国、南はユダヤ王国となる。

その北のイスラエル王国が、アッシリアによって征服されるのが、前722年。

アッシリア帝国は短命に終わり、その後4つの大国に分裂したが、そのひとつの新バビロニア王国によって、前586年にユダヤ王国も滅ぼされてしまう。

このときに、ユダヤ王国の民が、新バビロニア王国のバビロンに強制的に連れて行かれ、奴隷にされてしまう。これを、「バビロン捕囚」というのである。

ユダヤ人が解放されるのは、新バビロニア王国がペルシャに滅ぼされる前538年である。この間、約50年にわたり、ユダヤ人は苦難を強いられた。その苦難の日々に、神の意思を伝える預言者が次々と現れた。

「全能の神は、やがて来るこの世の終末に、救世主（メシア）を地上に送り、ユダヤ人だけを救済する」という選民思想が生まれた。これがユダヤ教の根本的な考え方である。

前515年、エルサレムに第二神殿が建てられた。ユダヤ教はいよいよ本格的な宗教となり、教団としてのかたちを整えていった。

巨大帝国アケメネス朝ペルシャの興亡

前671年にいったんはアッシリアによって統一されたオリエント世界だったが、前612年には帝国は滅亡し、四つの大国に分裂する。そのなかで勢力を蓄え、やがて統一帝国を築いたのが、アケメネス朝ペルシャだった。

ペルシャ人はイラン高原西南部に住んでいた民族である。この地域は、アッシリア分裂後はメディア王国の支配下にあった。キュロス二世の時代に、メディアを倒し、アケメネス朝ペルシャ帝国となった。これが前550年のことである。

つづいて、前546年にはリディアを征服する。さらに前538年には新バビロニアを征服し、ユダヤ民族を解放した。四つに分裂していた旧アッシリア帝国の三つをすでに手に入れたのである。

残ったのはエジプトである。だが、キュロス二世の時代には、そこまでは征服できなかった。後を継いだカンビュセス王が、前525年にエジプトを併合し、オリエント統一の事業を完成させるのであった。

さらに東に向かい、第3代のダレイオス大王の時代には、インダス川流域までを支配し

▶アケメネス朝ペルシャ（ダレイオス大王時代）

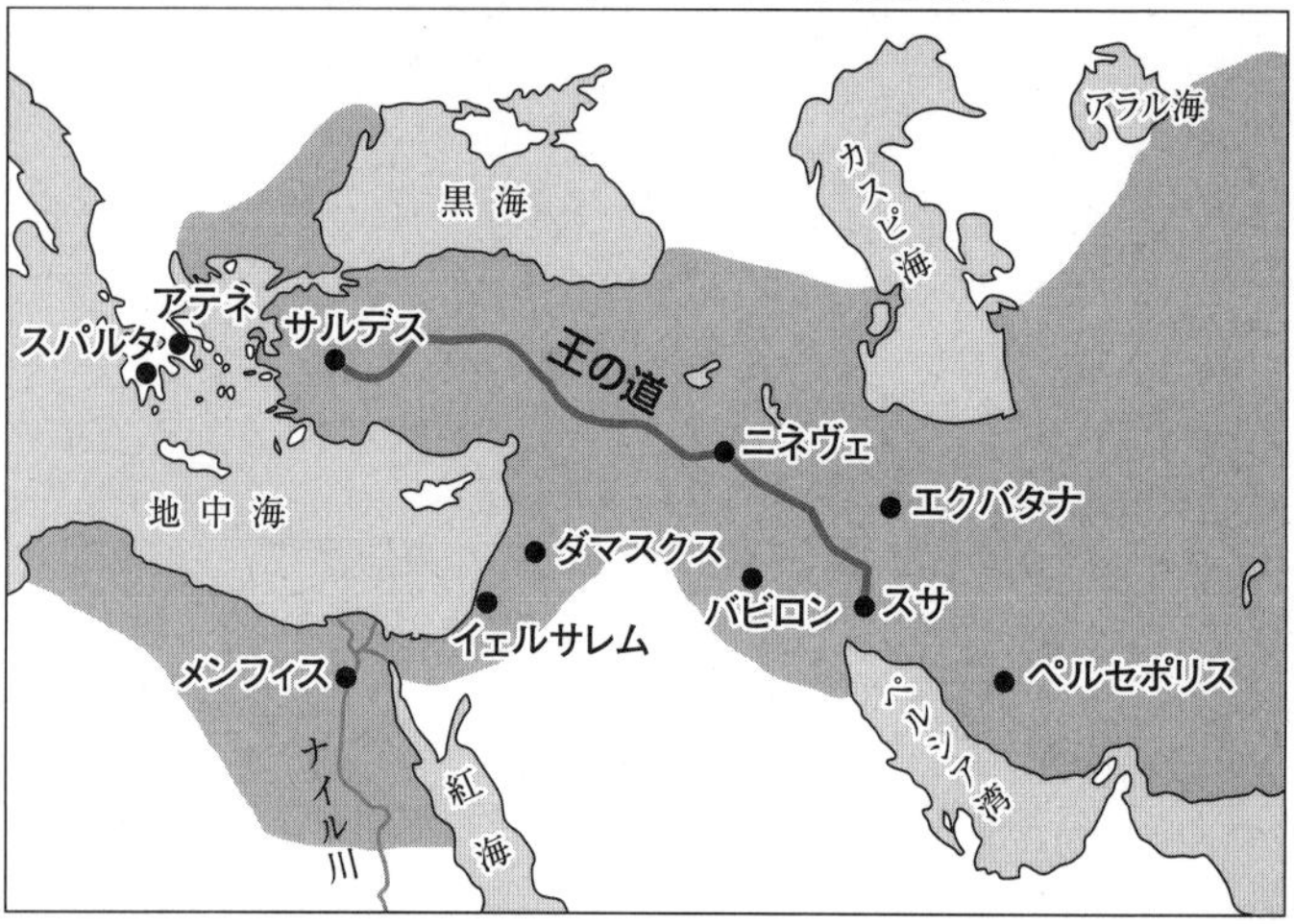

ていた時期もあった。

ペルシャ帝国が比較的長く続いた理由は、アッシリアのように強権で支配するのではなく、征服した民族にもそれぞれの宗教の信仰を許すなど、寛容政策をとったことにあった。支配された国々の人々が、あまり反抗心を抱かなかったのである。

だが、その統治機構はかなりしっかりしたものだった。全領土を20の州にわけ、それぞれにペルシャ人の総督を送り込み、統治させていた。さらに、貨幣の統一、公用語の統一といった、後の近代国家の原型ともいえる中央集権体制も完成していた。

宗教では、ゾロアスター教が国教とされた。

このアケメネス朝ペルシャ帝国が滅ぼされるのは、前３３０年、あのアレクサンドロス（アレキサンダー）大王によってである。

2
ギリシャ・ローマ

都市国家ポリスが形成されるまでの経緯

世界で最も有名な神話はギリシャ神話である。かつてのギリシャに高度な文明が栄えていたことは、パルティノン神殿などの遺跡と、ギリシャ神話、あるいはギリシャ悲劇などの文学作品が証明している。

エーゲ海のクレタ島に文明が興るのは、紀元前3000年頃と推定されている。これをクレタ文明という。メソポタミアやエジプト文明の影響を受けて、前2000年頃から本格的に栄えだし、オリーブを栽培するようになる。前1600年頃には、大型船舶を開発し、それを駆使した交易によって、ますます豊かになっていった。クレタ島のクノッソスの遺跡から推定すると、この地には人口八万人の大都市があり、石造の宮殿があった。

だが、前1400年頃に、その豊かさが狙われて、アカイア人が侵入し、クレタ文明を滅ぼしてしまう。文明の中心地はミケーネに移った。ミケーネ文明も海上貿易で栄えたもので、クレタ文明と合わせて、エーゲ文明という。このエーゲ文明も、前1200年頃に滅んでしまう。原因は不明だが、謎の「海の民」によって滅ぼされたとする説もある。それからの約400年を、ギリシャ史では「暗黒時代」という。混乱が続いたらしく、史料がまったく残っていないのである。

そういうわけで、突然、紀元前800年頃に話はとび、ギリシャの各地に都市国家ポリスが形成されるようになった、となる。国家といっても、人口数百から数千のものだった。

いまでいう村のような規模のものだ。そのポリスの代表が、アテネとスパルタである。

ポリスは、城壁に囲まれ、中央には丘があり、神殿が建てられているのが特徴である。その神殿のふもとは広場となっており、人々の社交の場であり、議会や裁判所も設けられていた。かなり本格的な国家といっていい。人々は、貴族・平民・奴隷という階級に分けられており、平民の大多数が農民で、奴隷を使って耕作していたのである。

やがて、ポリス間の争いが激しくなり、強いポリスは周辺の弱小ポリスを併合していくようになる。

このポリス時代の出来事としては、古代オリンピックがある。その発祥については、さまざまな伝説が残っているだけで、実際のところはよく分かっていない。一応、前776年の大会が、記録として残っている最古のものなので、第一回としているが、紀元前9世紀にはすでにオリンピックはあったとの説もある。いまのオリンピックが4年ごとなのも、古代オリンピックにならっている。

最初のオリンピックの参加国は、会場のあるエリスと、スパルタの二国のみだった。しかし、やがて参加国が増え、ついにはギリシャのすべてのポリスが参加するようになる。

ポリス間同士の本当の戦争も、四年に一度のオリンピックの時期は、大会期間とその前後合わせて3か月は休戦していたという。

元祖民主主義のアテネ対軍国主義のスパルタ

ギリシャ最大のポリスだったアテネは、人

口30万の大国家に発展していた。ここでは、三人の貴族が、執政官（アルコン）として支配していた。やがて、商工業も発達し、富裕な平民層が力をつけるようになった。富裕な平民は、武器を購入し、軍事力も持つようになり、重装歩兵として都市防衛も担うようになったので、参政権を求め、貴族との対立が始まった。

前508年、執政官クレイステネスはついに、貴族と平民の差をなくすことを決めた。18歳になれば市民権を得て、会議に参加できるようになった。これが史上初の民主制度である。

さらに、その前の時代に、非合法的に政権を握った独裁者が暴虐の限りを尽くしたという苦い経験があったため、それを防ぐ制度として、オストラキスモスが考え出された。これは「陶片追放」と訳されるが、市民が独裁者になりそうな人物を陶器のカケラに書いて、投票する。その数が一定以上になった者は、独裁者になる可能性が高いので、10年間追放されてしまう、というものだった。

一方、「スパルタ教育」という言葉でおなじみのスパルタは、軍事国家だった。もともと他の都市国家を征服してできた国家だったので、先住民のほうが多く、それを支配するための強権政治が行なわれていた。支配層である市民は1500人から2000人で、それが2万人の半自由民と5万人の奴隷を支配していた。この7万人がもともとその地にいた先住民である。市民のなかの60歳以上の男性によって構成される長老会が、国政を決めていた。

市民の男の子は7歳から20歳まで集団教育

を受け、国家に忠誠を誓うことを教えられ、軍事訓練で鍛えられた。スパルタ教育とは、このことからできた言葉である。

運命を決めた決戦――ペルシャ戦争、ペロポネソス戦争

東はインダス川流域まで支配圏を広げたペルシャ帝国だったが、西への進出は思うようにいかなかった。ギリシャになかなか侵攻できなかったのである。ところが、そのチャンスがやってきた。

紀元前500年、ギリシャの殖民市だったイオニア地方のミレトスは、すでにペルシャ帝国の支配下にあったのだが、ペルシャに対して叛乱を起こし、アテネに援軍を求めてきた。

アテネはさっそく、軍船を派遣した。それを受けて、ペルシャ帝国のダレイオス大王は反撃に出ることにした。念願のギリシャ本土侵攻の口実ができたのである。

最初の遠征軍は、嵐にあって撤退。前490年、ダレイオス大王率いる大遠征軍は、再び海路、ギリシャに向かい、アテネの北東30キロのマラトンに上陸した。アテネ軍は重装歩兵でもって迎撃し、騎兵と弓兵からなるペルシャ軍を破った。このマラトンの戦いで、勝利したとの知らせを、30キロ離れたアテネまで走って知らせた兵士がいた。これが、マラソンの起源だとされている。

敗戦後しばらくして、失意のうちに、ペルシャのダレイオス大王は亡くなった。後を継いだクセルクセスは、父ダレイオスは海から攻めて負けたので、次は海からだけでなく陸

からも攻めようと考えた。こうして前480年、ペルシャ軍は海と陸の両方からアテネを攻めた。

一方ギリシャは、マラトンでの勝利に酔うことなく、ペルシャの攻撃に備え、アテネを中心に31のポリスが同盟を結び連合軍をつくり、とくに海軍を強化していた。

陸戦となったテルモピレーの戦いではペルシャ軍が勝利。ギリシャ軍は撤退し、アテネは国土を放棄した。ペルシャ軍は無人となったアテネに侵入した。

海戦となったサラミスの戦いでは、ペルシャ艦隊1000隻を、わずか200隻のアテネ艦隊が迎え撃ち、勝利した。ペルシャ軍は、退却。翌年もプラタイアの陸戦で敗け、ペルシャ戦争は、ギリシャのポリス国家連合の勝利となった。

この戦争は専制国家対民主国家の戦いという捉え方もできる。ペルシャ軍の兵士たちは、大王の命令だからと、仕方なく戦っていた。それに対して、ギリシャ軍の兵士たちは、自分たちで自分たちのポリスを守るんだという意識を持って、積極的に戦った。その差が勝敗に現れたのである。

勝ったとはいえ、いつまたペルシャが攻めてくるか分からない。そこで、ギリシャの各ポリスはアテネを中心に、デロス同盟を組織するようになった。

これには200あまりのポリスが参加した。しかし、当初はそれぞれのポリスは平等だったのだが、アテネの力が強まると、同盟関係が主従関係に変質していき、実質的にはアテネ帝国になっていった。

当然、それに反発するポリスも出てきた。

▶ペロポネソス戦争

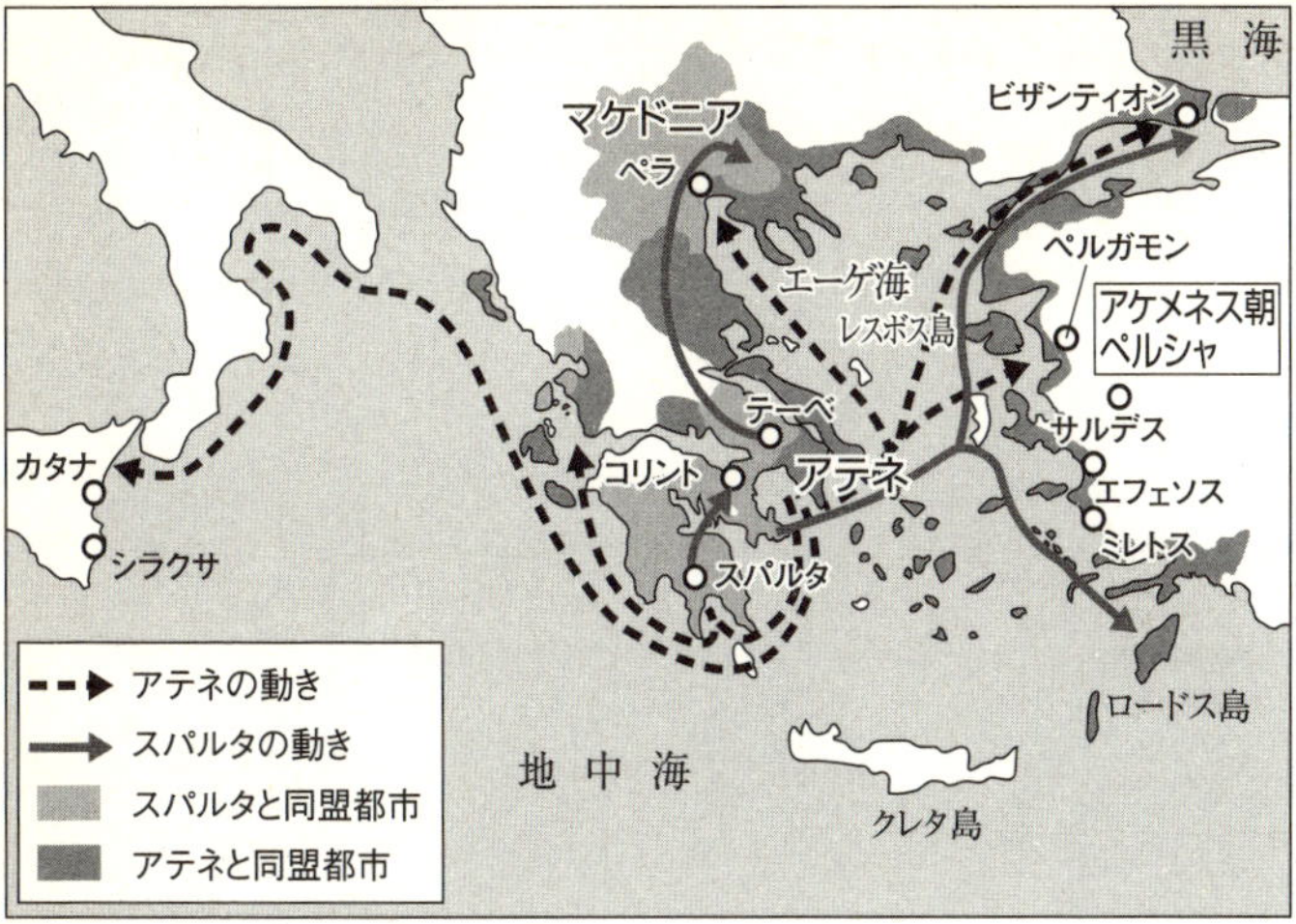

アテネに対抗できるのはスパルタしかない。というわけで、スパルタを中心にしたペロポネソス同盟が結成された。

こうなると、両者の対決は必至である。ペルシャ戦争の記憶も遠くなった前４３１年、ついに、ギリシャ全土を二分する戦争が始まった。ペロポネソス戦争である。この戦いは実に27年間も続いた。「敵の敵は味方」という戦略は昔からのものだが、それにのっとって、ペルシャは宿敵アテネを倒すために、ペロポネソス同盟に援軍を送った。そんなこともあって、最終的には前４０４年にアテネが全面降伏して終わった。

戦争が終わり平和になり、安定した社会が訪れるかと思ったが、そうはならなかった。民主主義は、常に衆愚政治に陥る危険を孕んでいるが、この時代のギリシャの各ポリスは、扇動政治家（デマゴゴス）がうごめくようになり、まさに衆愚政治に陥っていく。その衆愚政治の犠牲となって、刑死したのが、哲学者ソクラテスである。

ソクラテスひとりの悲劇では終わらない。ギリシャのポリスは経済的にも衰退していった。

その間に力をつけてきたのが辺境の地にあったマケドニアである。

青年王・アレクサンドロスが夢見た「世界帝国」

ギリシャの北方の小国マケドニア王国は、ギリシャとペルシャの中間に位置していた。ギリシャに属していたが、ペルシャ戦争ではペルシャ側についた。しかし、ペルシャの力が弱まると、ギリシャ側につく。

ギリシャの内戦ともいうべき、ペロポネソス戦争の間も力を蓄えていた。

このマケドニアが歴史の主役に躍り出るのは、フィリッポス2世の代である。前338年にカイロネイアの戦いで、アテネとテーベ連合軍を倒し、ギリシャのスパルタ以外のポリスを手中にした。こうして、各ポリスの独立性は失われた。

フィリッポス2世が次に目指したのは、ペルシャだった。だが、遠征軍を組織し、いざ出陣というとき、暗殺されてしまう。

その後を継いだのが、息子のアレクサンドロス3世だった。アレクサンドロス大王（アレキサンダーともいう）として有名な青年王である。

アレクサンドロス大王は前336年に20歳

▶アレクサンドロス大王の帝国

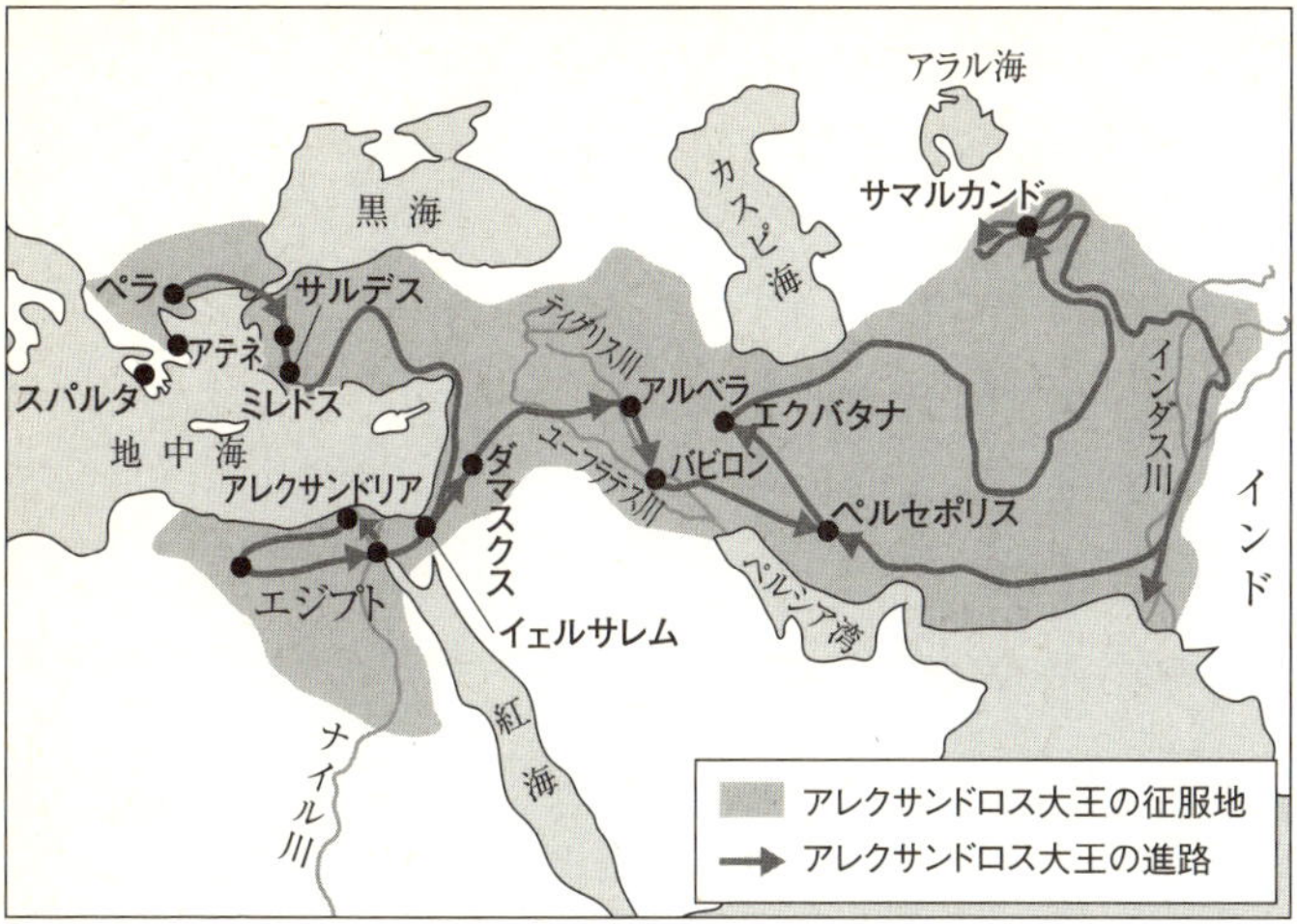

で王位に就くと、前３３４年にアケメネス朝ペルシャへの遠征を開始、総勢３万７０００人という大編成の軍を率いて出陣した。

アレクサンドロスは軍事の天才だったと評価されている。重装歩兵と騎兵とを組み合わせて戦ったのだが、抜群の統率力を発揮した。

前３３３年にイッソスの戦いで、ダレイオス３世が率いるペルシャ軍をいったん破り、さらに前３３１年のガウガメラの戦いで、ペルシャ軍を完全に壊滅させた。ペルシャのダレイオス３世は、敗走する途中で、側近の反逆にあい殺されてしまった。こうしてペルシャ帝国は、若きアレクサンドロスのものになった。

だが、アレクサンドロスは、これで満足しない。さらに東に攻めていった。エジプトも支配下に置き、アレクサンドロス帝国の勢力は、インドにまで広がった。

これは、それまで別々に生まれて発展していた、東西の文明の融合を意味していた。

軍事力で圧倒的な強さを見せたアレクサンドロス大王だったが、征服して支配した国に対する内政面では寛容政策をとった。本人はギリシャ文化を何よりも信奉していたが、それを被征服民に強制することはなかった。それどころか、いいものがあれば異文化もすすんで受け入れた。

こうして、東西文化の交流が盛んになり、その結果生まれたものをヘレニズム文化という。その代表として知られているのが、ギリシャ風の文化とインドの仏教文化とが融合したガンダーラ美術である。

アレクサンドロス大王が最終的に何を目指していたのかは、分からないが、「世界帝国」を視野に入れていたのは確かであろう。

しかし、その野望はあっさりと潰えてしまう。前323年、東方遠征から戻り、ひといきついていたバビロンで熱病にかかり、あっというまに死んでしまうのだ。32歳と8ヵ月の短くも激動の生涯であった。

その死後、大帝国は当然のように分裂してしまう。アレクサンドロス大王の後継者争いは、実に20年も続いた。これをディアドコイ(後継者)戦争という。前323年から301年まで、大王の側近だった将軍たちによって争われた。

前301年、ディアドコイ戦争は大帝国を三分割するかたちで一応、終戦となった。かつてのペルシャ帝国の領土であるシリアを受け継ぐことになったのがセレウコス、プトレマイオスはエジプトを手にした。そしてマケドニアはアンティゴノスのものになった。

このなかで最も栄えたのはエジプトだった。その都アレクサンドリアは大都市になり、経済と文化の中心になる。ちなみに、アレクサンドリアはエジプトだけでなく、各地にあった。アレクサンドロス大王が、征服した土地に、自らの名をつけた都市を建設していったからである。

いったん統一されるが分裂し、動乱の時代になるが、また強大な国が現れて統一……と、歴史は何度も繰り返すのである。その次に登場する大帝国が、ローマだった。

ローマがイタリア半島を統一するまで

ローマという国の始まりについては、諸説あり、はっきりしない。イタリア半島南部に、紀元前1100年頃にラテン人が北からやってきて、農業中心の小さな都市国家を築くようになっていた。ローマもそのひとつで、ティベル川下流にあった。伝承では、前753年に建国されたことになっており、初期は王が統治していた。

しかし、前509年に最後の王が追放され、以後は有力貴族が元老院を組織して統治する、貴族共和政という国家形態になる。元老院は一年の任期の執政官（コンスル）を二人選び、権力を委ねていた。

やがて、平民階級の人々も力をつけてくる。とくに、周辺の都市国家を征服し、大きくなっていくにつれ、そのための戦争に参加した平民たちは、参政権も求めるようになった。

貴族と平民の対立の結果、平民側の要求が

通り、さまざまな民主的諸制度が生まれていった。まず、平民の議会である平民会が設置された。

前450年頃には十二表法という最初の成文法も制定され、貴族が自分たちだけですべてを決めることができなくなった。

さらに、前367年には、二人の執政官のうちの一人は平民から登用されることになり、前287年には、平民会の議決が元老院の承認を得なくても法律として成立することになった。

こうしてローマは、共和政国家となったのである。このことは、国家としての弱体化にはつながらなかった。むしろ、平民たちは自分の国だという意識を強く持つようになり、積極的に勢力拡大のための戦争に臨んでいった。


紀元前270年頃には、イタリア半島の統一、つまり征服に成功する。

ローマは、その支配下に置いた都市を三種類に分類して統治していた。これを「分割統治」という。

まず、植民市。ここの市民たちは、ローマの市民権を持っていた。次の自治市では、ローマの市民権は制限されており、たとえば参政権はなかった。その一方で、納税と兵役の義務はあった。三つ目の同盟市ではローマの市民権はまったくなく、兵役の義務はあった。

同盟市や自治市としては、はやく植民市に昇格したいので、ローマのために働くことになる。こうして互いに競い合ったので、それが大きな力となり、征服・拡大を可能にした。

そのローマの前に巨大な敵が現れた。カルタゴである。両者は三度にわたりポエニ戦争を戦うことになる。

ローマ対カルタゴの死闘
――ポエニ戦争

カルタゴは現在のチュニジア北部にあった、フェニキア人の植民都市だった。地中海の貿易大国として古くから栄えていた。この頃の地中海は、すでにギリシャの諸都市に昔の栄光の面影はなく、フェニキア人が勢力を伸ばしていた。

そこに、大国となったローマがシチリアを征服するためにやってくる。カルタゴとしては、迎え撃つ以外の道はない。

これが、ポエニ戦争である。ポエニとはフェニキアのローマ訛りで、ようするにローマから見た「フェニキアとの戦い」のことを、ポエニ戦争と呼ぶ。

第一次ポエニ戦争は、前264年に始まった。もともと地中海の貿易国だったので、カルタゴは海軍が優れていた。一方のローマはこれまでは陸戦が主だった。

まず、ローマ軍はシチリア西部の諸都市を次々と攻略していった。その一方で、艦隊の建造・整備も進め、強力なカルタゴ艦隊に、挑む。その結果、前260年のミラエ沖海戦で、ついにローマはカルタゴ艦隊に勝利するのである。

その勢いで、ローマ軍は北アフリカに上陸し、カルタゴに侵攻するが、これは阻まれてしまう。さらに、態勢を立て直したカルタゴ海軍は、前249年にローマ艦隊を破る。こうして、戦争は長期化し、双方の戦死者が増えるばかりとなる。

前241年。こう着状態が破られた。ローマ艦隊がシチリアの西部沖で、カルタゴに勝利。ついに、カルタゴは敗北を認め、和平を申し出た。こうしてローマの勝利が確定し、念願のシチリアを得ただけでなく、コルシカ島、サルディーニャ島なども得た。

ハンニバルの終わりなき戦い

ローマに負けたカルタゴだったが、このまま引き下がりはしなかった。四十数年後に逆襲に出たのが、第二次ポエニ戦争である。

第一次ポエニ戦争の敗戦後、カルタゴの実権を握ったのは、武将のハミルカル・バルカだった。その息子ハンニバルは猛将として知られていた。

ローマとの戦争を始める前にカルタゴは周到な準備をした。まず、マケドニアと同盟を結び、その一方でローマに支配されていた北のガリア人に叛乱を呼びかけた。こうしてローマを包囲しておいて、予想もつかない方角から攻め入ったのである。

前218年、カルタゴのハンニバルは40頭の象を率いて、ピレネー山脈とアルプス山脈を越えて、陸路ローマに攻め入った。ローマは驚いた。何の準備もしていなかったのである。イタリア半島中央部での戦闘でハンニバルは圧勝した。それを知り、ローマに服従していた北のガリア人や南部のサムニテス人が、叛乱を起こした。ローマは包囲されつつあった。

しかし、ハンニバルはローマの周辺を固めはするが、ローマそのものには攻め入ろうと

▶ポエニ戦争（第2回）

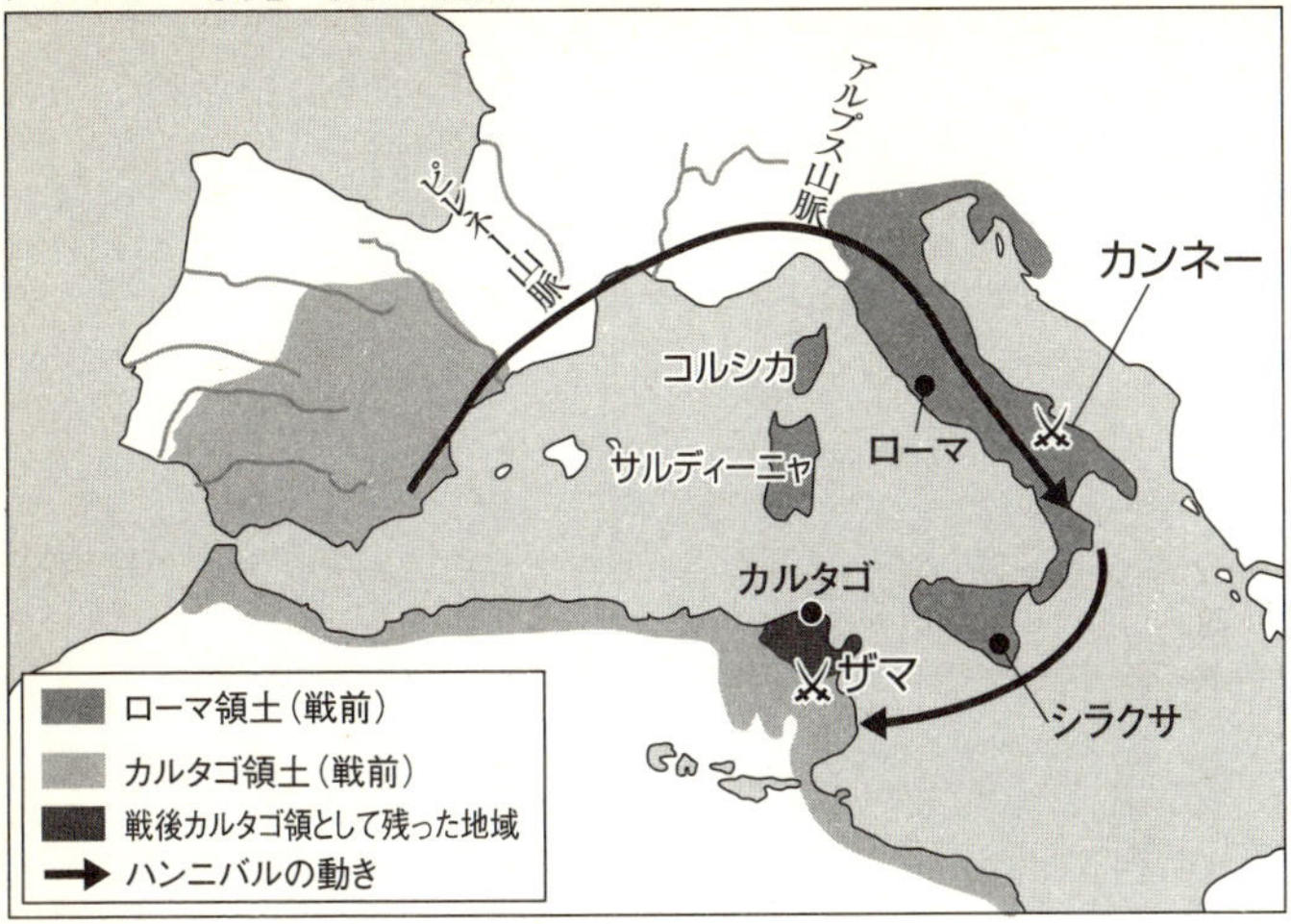

しない。その間に、ローマ軍は態勢を立て直していた。ローマの名将スキピオは、あえて直接、ハンニバルと戦うのを避けた。ハンニバルの強さを知っていたのであろう。

前204年、ローマ軍はカルタゴの本拠地を襲い、勝利した。故国の危機を知ったハンニバルは急遽、カルタゴに向かった。

前202年、ついにハンニバルとスキピオは直接対決することになった。これがザマの戦いと呼ばれる決戦で、ローマの勝利に終わった。

カルタゴはまたもローマに負けたのである。敗戦の責任を問われ、ハンニバルはカルタゴから追放されてしまい、前183年、亡命先で自殺した。その同じ年に、ローマのスキピオ将軍も亡くなった。

カルタゴは負けはしたものの、国としては

存在していた。いつまたローマに向かってくるかわからない。ローマにとって、カルタゴは不安材料として残っていた。いつかは完全に倒さなければならない。

だが、その前に、ローマはギリシャ制圧に乗り出した。

マケドニアとの戦いに勝利し、前146年に属州とすると、ギリシャの諸都市の同盟であるアカイア同盟をコリントの戦いで倒した。こうして、全ギリシャは、実質的にローマの属州となった。

こうなると、残るはいよいよカルタゴである。すでに第二次戦争から半世紀が過ぎた、前149年、ローマはついにカルタゴ殲滅のための戦争を決意する。そのときのローマの指導者が、カトーである。

ローマ軍の攻撃を受けたカルタゴは三年にわたり、全国民総出の防衛戦を戦った。しかし、前146年、すさまじい籠城戦の後に敗北。カルタゴは歴史から姿を消す。

地中海世界は、ローマのものとなった。そしてローマはさらに巨大な帝国への道を歩む。

カエサル、クレオパトラ…権力をめぐる攻防

ポエニ戦争で勝利したローマは、国内に矛盾を抱えるようになる。

獲得した領地から安い物資や奴隷が大量に入ってきたため、商人や大地主はますます儲かった。その一方で農民のなかには、安い輸入穀物や、奴隷という安い労働力に対抗できず、農地を手放さざるをえなくなる者が大量に出た。当然、彼らは失業者となる。ローマ

は、いまでいう格差社会になり貧富の差が拡大した。

市民の不満は鬱積していた。奴隷たちも叛乱を繰り返した。

そんななか、剣闘士スパルタクスが蜂起した。前73年のことである。20万もの奴隷たちがこの蜂起に参加し、ローマは大混乱した。前71年にスパルタクスが戦闘で死んだことで、どうにか収拾された。

内乱状態が終わると、叛乱鎮圧に貢献した軍人、ポンペイウスと、経済界を支持層にもつクラッスス、そして平民からの支持を得ていたカエサル（シーザーともいう）の三人が「三頭政治」体制を確立した。前60年のことである。

最初に死んだのはクラッススで、遠征中の戦死だった。カエサルは、いまのフランスにあたるガリアに遠征に出て、この地を平定、さらにいまのドイツにあたるゲルマニア、イギリスにあたるブリタニアまでも征服した。

これ以上、カエサルが力をつけることを恐れたポンペイウスは元老院と手を結び、遠征中止の命令を出した。

カエサルは陰謀の存在を知っていたが、ローマへ戻ることにした。そしてイタリア北部にあるルビコン川に辿り着いた。当時、軍がこの川をわたって南下することは禁じられていた。だが、カエサルは「賽《さい》は投げられた」と宣言して、ルビコン川を渡った。

もう戻ることのできない重要な決断をすることを「ルビコン川を渡る」というのは、この故事に由来する。

ローマに戻ったカエサルを市民は歓声をあげて迎え入れた。圧倒的人気だった。それを見て、ポンペイウスはローマからギリシャへと逃げてしまった。

こうして、カエサルの独裁体制が確立された。事実上、ローマの共和政に終止符が打たれたことにもなる。

カエサルとしては、ポンペイウスが反逆に出るのを防がなければならない。前48年、カエサルはギリシャに逃れていたポンペイウスと元老院の軍を撃破、ポンペイウスはさらにエジプトに逃れていったが、その地で暗殺された。

そのエジプトでカエサルが出会うのが、あのクレオパトラである。

当時のエジプトの王朝は、プトレマイオス朝だった。アレクサンドロス帝国が、大王の死後に三分裂したときにできたものである。

クレオパトラとは「父の栄光」という意味で、史上有名なクレオパトラは正確には「クレオパトラ7世」である。紀元前51年に父プトレマイオス12世が亡くなると、彼女が王位を継いだ。

そして、エジプト王家の伝統に従い、弟のプトレマイオス13世と結婚し、共同統治を始めたものの、この弟にして夫とは仲が悪く、さらに妹も権力を狙っており、王家内部の権力闘争が始まった。

前48年、プトレマイオス13世は姉クレオパトラを追放してしまう。共同統治に不満を抱いていたのだ。

カエサルがエジプトに来たのは、そんなときだった。プトレマイオス13世はローマに対抗していた。ここで、「敵の敵は味方」となり、クレオパトラとカエサルは手を結ぶことになった。カエサルは、プトレマイオス13世を攻撃し、死に追いやった。これで、クレオパトラはエジプト女王の座に戻ることになり、別の弟、プトレマイオス14世と結婚し、共同統治を始めた。

にもかかわらず、クレオパトラはカエサルと関係を持ち続け、二人のあいだに子どももも生まれた。その子カエサリオンとともに、前46年にクレオパトラはローマに凱旋した。カエサルは、終身独裁官に就任していた。もはや敵はいなかった。

ところが、前44年、カエサルは部下のブルータスによって暗殺されてしまう。このときの有名なセリフが「ブルータス、お前もか」だが、これは後の世のシェイクスピアの創作らしい。

カエサルの功績のなかで、いまの私たちに最も関係が深いものが、暦である。その前から使われていた太陽暦をローマ暦に改定し、一年を３６５日とし、また、四年に一度、二月を一日多くする閏年も決められた。この新しい暦は、紀元前45年１月１日から実施された。なお、それぞれの月の名や、何月を何日にするかということは、時代によって、異なっている。

カエサルを暗殺したのは、彼があまりにも強大な権力を握ったことに対して危機感を抱く人々だった。

その死後、再び三頭政治体制が確立された。カエサルの養子オクタヴィアヌス、部下アントニウス、大富豪レピドゥスの三人が、国家再建三人委員会を作り、統治したのである。

そのひとり、アントニウスはクレオパトラとの恋に落ちた。クレオパトラがエジプト安定のために籠絡し、結婚したのである。

オクタヴィアヌスは元老院を味方につけ、エジプトに宣戦布告した。前31年、アクティウムの海戦でクレオパトラとアントニウスのエジプト軍は敗北した。ローマ軍は、深追いせず、いったん引き上げた、その翌年に再びエジプトを攻めた。もはや、これ以上戦うのは無理だと判断したクレオパトラとアントニウスは毒蛇に噛ませて自殺した。プトレマイオス王朝は終焉を迎え、エジプトはローマの属州となった。

エジプトを滅ぼしたオクタヴィアヌスはローマに凱旋。前27年、元老院は彼にアウグストゥス（尊厳者という意味）の称号を与え、最高権力者となった。事実上の皇帝だが、独裁者を好まないローマの伝統を考慮し、「プリンケプス（市民の第一人者）」と称した。

こうしてローマ帝国が誕生したのである。

イエス・キリストの軌跡とキリスト教の成立

いわゆる西暦は、イエス・キリストが誕生した年を元年として制定されたものだが、もちろん、キリストが生まれた時点では、そんなものはない。はるか後の6世紀、ローマの神学者ディオニュシウス・エクシグウスが、525年頃に書いた著書のなかで、ローマ建国から754年目の年をキリスト誕生の年にあたると算出したのである。これに従い、その年を紀元1年とするようになったのは、10世紀からで、それもまだごく一部の国にとどまっていた。15世紀になってから、ヨーロッパ諸国が使うようになった。

だが、その後の研究で、これは計算間違い

で、実際にキリストが生まれたのは、もっと前だということが分かった。説によっては8年前とするものもあるが、4年前との説が有力である。

だが、いまさらずらすわけにもいかないので、紀元1年はそのまま動かさず、キリストが生まれたのが紀元前4年頃ということになった。

ちなみに、紀元1年の前の年は0年ではなく、紀元前1年となる。これは17世紀に発案され、18世紀に一般的になったものである。いまでは世界中が使っているので、本書でもそれにならって、記述している。

さて、そういうわけで、史上最大の有名人となるイエス・キリストは紀元前4年頃、パレスティナのベツレヘムで生まれたとされている。その頃、この地はローマの属州となっていた。

イエスについては、伝説として語られている情報は多いが、どこまでが事実かはよく分かっていない。

当時のユダヤ教の祭司たちは、権力者であるローマに取り入って、戒律と儀式ばかり重視していたパリサイ派が力を持っていた。イエスはそれに疑問を抱く。

さらに、ユダヤ教は選民思想に基づき、ユダヤの民だけが救われると説いていたが、イエスはそれもおかしいと考え、すべての人々が救われるべきだとした。「神の下での平等」という考え方である。

これはユダヤ教と対立するものとなった。ユダヤの支配層からみれば、イエスは叛逆者だった。30年、イエスは捕らえられ、ゴルゴダの丘で処刑された。

そして3日後、予言どおりに「復活」し、その40日後に遺訓を残し、ふたたび昇天したという。この「奇蹟」を見た弟子たちによって、イエスこそが「神の子」であると信じられ、やがて世界中にひろがる宗教が誕生したのである。

「パックス・ロマーナ」の時代とは

前27年にオクタヴィアヌス（後にアウグストゥス）に始まったローマの帝政は、世襲によって皇帝の座が継承されていくことになったものの、直系の実子での相続はなかった。

五代皇帝になったのが、暴君として知られるネロである。最初は名君と思われていたのだが、一族内での抗争を勝ち抜くために、母や妻といった身内を殺したり、キリスト教徒を迫害したことなどから、暴君とされている。叛乱が続出し、元老院から「国家の敵」と宣告され、68年に自殺に追い込まれた。

その後、数年ずつで皇帝が代わる内乱期が続いた後、96年に皇帝となったネルヴァから五代の皇帝の時代のことを「五賢帝時代」という。

世襲ではどんな人物が皇帝になるか分からないので、これを廃止し、賢人を選んで養子にして、後継者にするという方法をとることにした。

これによって、賢帝が続き、ローマは安定し繁栄をきわめるのである。この五賢帝時代は、約百年にわたり続いた「パックス・ロマーナ（ローマの平和）」とも呼ばれる時代だ。

交通網も整備され、「すべての道はローマ

に通ずる」ことになった。領土はかつてないほど広がり、ロンドン、パリ、ウィーンという、こんにちのヨーロッパの主要都市もこの時代に建設された。もとはローマ軍の駐留地だったのである。

だが、巨大になれば当然、全土を統治するのは困難になる。五賢帝の最後はマルクス・アウレリウス・アントニヌスだった。すでにその治世にゲルマン人の侵入が始まり、地方に住み着いていた退役軍人が叛乱を起こすなど、ローマが不安定になっていくなか、180年に亡くなってしまった。これによって、五賢帝時代は終わる。

息子のコンモドゥスが後を継いだが、「暴虐帝」と呼ばれることになる史上最悪の皇帝となり、192年に暗殺された。こうして、ローマ帝国は内乱の時代に突入した。

内乱の時代に突入したローマ——軍人皇帝時代

内乱になれば、軍人が活躍する。ローマ皇帝の座は、軍人たちが奪い合うようになった。

235年から284年の約50年間に、実に26人の皇帝が入れ替わる事態に陥った。そのなかで、殺されることなく生涯を終えたのは、一人だけだった。

この大混乱時代を収拾したのが、284年に即位した最後の軍人皇帝ディオクレティアヌス帝だった。帝国を再建するために、まず皇帝権力を神聖化した。古来からのローマの神々が皇帝の守護神であるとしたのである。統治面では税制改革により国庫収入を確保し、官僚制を整備し中央集権にもっていった。軍隊も規模を増強した。これによって、専制君主制（ドミナトゥス）が確立された。なお、それ以前は元首制（プリンキパトゥス）という。

だが、あまりに帝国は広大になっていたため、一人でそのすべてを統治し、さらに外敵の侵入から防衛するのは不可能だった。そこで、ディオクレティアヌスは、軍の同僚だったマクシミアヌスを共同皇帝にし、自分は東を彼には西を任せることにした。

それでも負担が大きいので、２９２年、二人の皇帝はそれぞれ、自分たちを正帝としたうえで副帝を任命することになった。二人の副帝には、ライン川とドナウ川の防衛を任せた。こうして、帝国には、事実上４人の皇帝が存在することになる。これをテトラルキア（四分割統治、四分治制）と呼び、この分割統治が、後の東西の分裂につながっていく。

抜群の統率力と政治センスをもっていたディオクレティアヌスの在位中は、この制度はうまく機能した。だが、彼の引退後は再び混乱してしまう。

その混乱を収拾するためには、単独の皇帝の登場を待つしかなかった。３０６年に副帝になったコンスタンティヌス帝は、３２４年に正帝になると、専制君主制の確立を目指した。

弾圧から公認へ——なぜキリスト教は国教となったのか

ローマはもともと多神教の民族で、いろいろな神を信仰していた。ギリシャを支配下に置くと、そこに伝わるギリシャの神々を信仰

▶キリスト教の発展

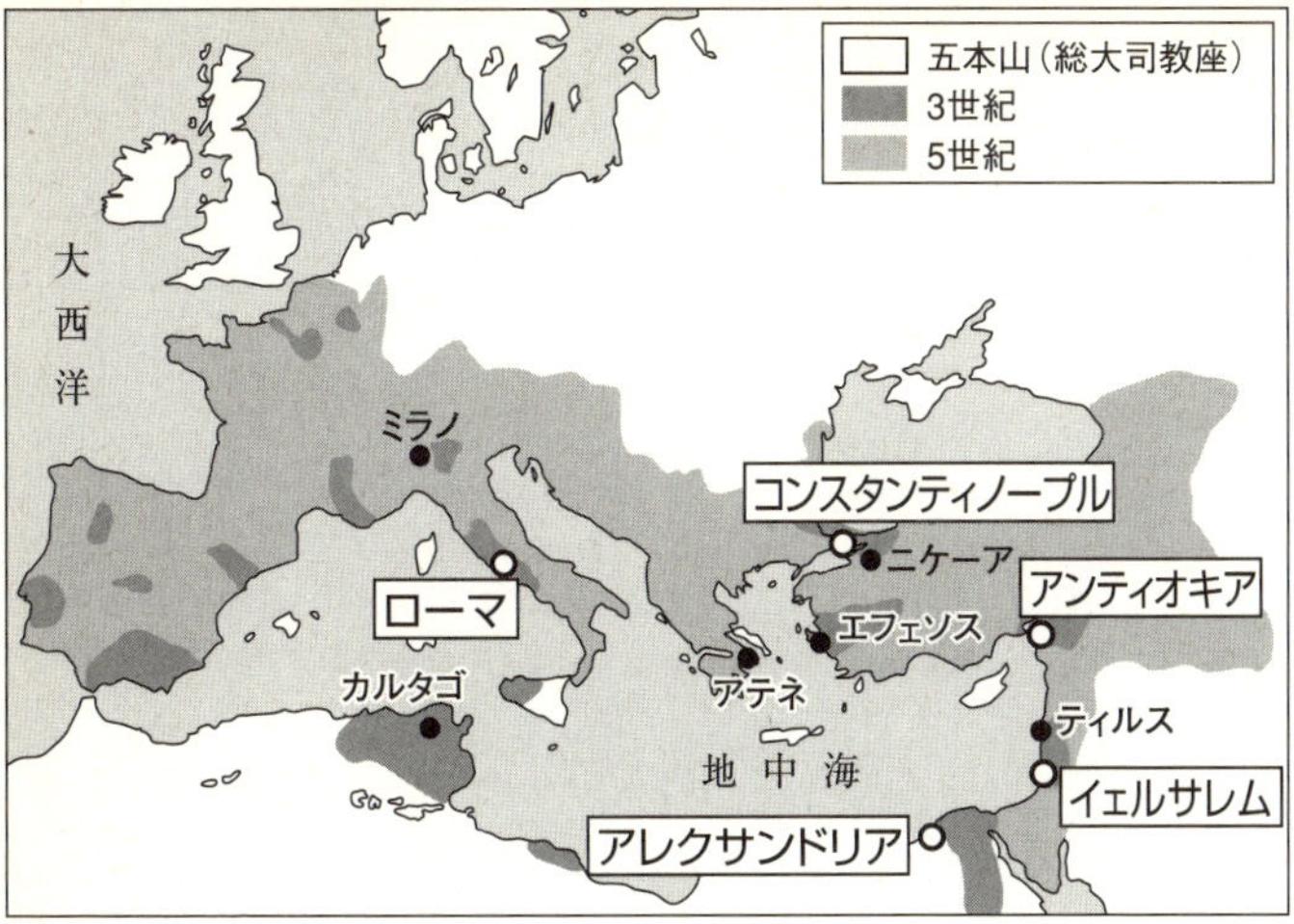

するようになり、もともとは別々だったギリシャ神話とローマ神話は混合し、「ギリシャ・ローマ神話」となった。

　このように、宗教に対しては寛容というか、融通《ゆうずう》無《む》碍《げ》なところがあった。それに対してキリスト教とその元となったユダヤ教は一神教である。他を認めないわけで、皇帝を崇拝することも拒んだ。

　そこで、ローマ皇帝はキリスト教を弾圧していた。その弾圧がもっとも凄まじかったのがネロの時代で、ローマの市街が大火で焼失した際、キリスト教徒が放火したと濡れ衣をきせて、大勢を処刑した。ディオクレティアヌス帝の時代にも、３０３年にキリスト教の「大迫害」という弾圧政策がとられた。

　それを１８０度方針を変えて、キリスト教を公認したのが、コンスタンティヌス帝の時代の313年のミラノ勅令だった。公認しただけではなく、コンスタンティヌス帝は、自らもキリスト教に入信した。

このような大転換は、なぜ起きたのか。いうまでもなく、キリスト教が弾圧にもかかわらず、帝国全域に浸透し、あまりにも大きな存在になっていたからだが、それだけではなかった。

ローマがあまりにも大きくなり多民族国家となってきたので、民族固有の宗教を超越した普遍性をもつ宗教と、国家とが一体化したほうが、国家統治にも便利だと考えられたからである。

イエスの死からすでに300年近く経っていたので、キリスト教の内部でもさまざまな宗派が生まれていた。なかでも、イエスを「神の子」であるとするアタナシウス派と、「神に最も近い人」とするアリウス派は、対立するようになっていた。これに決着をつけるべく、コンスタンティヌス帝が325年に召集したニケーア公会議では、アタナシウス派を「正統」、アリウス派は「異端」であると決定した。

こうして、ローマ帝国とキリスト教は密接な関係をもつようになっていく。さらに後の380年には、ローマ帝国の国教になるのだった。これとともに、他宗教のほうが厳禁されてしまう。

ササン朝ペルシャの台頭が持っている意味

東の漢帝国と、西のローマ帝国の間に位置する、いまの中東地域で、ペルシャが台頭してくるのが、3世紀である。かつて当時の「世界」を支配したペルシャをアケメネス朝ペルシャといったが、紀元前331年にアレクサンドロス大王によって滅ぼされていた。

その後、この地域は、セレウコス朝の支配を経てパルティア帝国が支配していた。パルティアは、カスピ海南岸にいた遊牧ペルシャ人の国だった。いわゆる騎馬民族国家で、西アジアの農耕社会を襲撃し、支配下に置いていった。

パルティア帝国は、ローマ帝国とも何度も戦い、勝利したこともあった。東と西の中間にある地の利を生かした貿易でも栄えた。

そのパルティアを倒し、ペルシャ人による帝国を建てたのが、農耕イラン人を率いるアルデシール1世だった。

226年、アルデシール1世はパルティアを倒し、ササン朝ペルシャ帝国とした。ササン朝は、かつてのアケメネス朝ペルシャの復権を目指そうという、かなり復古調の帝国で、ゾロアスター教が復活した。

ゾロアスター教は、紀元前6世紀に現れた預言者ゾロアスターに始まる宗教である。光の神・善神と、暗黒の神・悪神の二つの神がいるとするものだ。その終末思想はユダヤ教の「最後の審判」という考え方に影響を与え、キリスト教、イスラム教に引き継がれている。また、東に伝えられると、仏教と融合してマニ教になる。ある意味で、世界の宗教のルーツともいえるものである。ゾロアスターを欧米ではツァラトゥストラとよんでいる。ニーチェの著書のタイトルやそれを音楽にしたリヒャルト・シュトラウスの曲でおなじみであろう。

ゲルマン民族大移動という衝撃

コンスタンティヌス帝の時代のローマ帝国は、北方のゲルマン民族の侵攻に脅かされる一方で、東からもササン朝ペルシャの攻撃を受けていた。そこで、防衛上の必要から、330年、コンスタンティヌス帝はビザンティウム（いまのトルコのイスタンブール）を自らの名をとってコンスタンティノープルと改称して首都にした。

コンスタンティヌス帝の後も、ローマは外敵との戦いや、ますます勢力を伸ばすキリスト教との緊張関係、あるいは皇帝一族内の抗争など、さまざまな問題を抱えていたが、どうにか続いていた。そこにまた大事件が起きる。「ゲルマン民族の大移動」である。

ゲルマン民族がもともと暮らしていたのは、バルト海沿岸だった。いくつもの部族があり、互いに領土を争うなどしていたが、やがて部族国家となっていく。紀元前後には、ケルト人が住んでいた地域に攻め入り、自分たちのものとし、さらに南下していった。

3世紀に入ると、耕作地が不足してきたため、ゲルマン人のなかには、ローマの傭兵となる者や、小作人としてローマ内に移住する者も出てきた。ゲルマンの一部族フランク族は、ガリア（いまのフランス）に進出した。ゴート族は小アジアに向かい、ギリシャやトラキアに侵攻した。ローマ帝国は、ゲルマンの脅威にさらされながらも、どうにか均衡がたもたれていた。それがそうもいかなくなるのが、4世紀後半だった。

ローマ帝国が東西二つに分裂した理由

中国で異民族も入り乱れて王朝が乱立した五胡十六国時代は、ローマ帝国にも大きな影響を与えた。

4世紀後半になると、アジアの遊牧民族フン族が西へ攻め入ってきたのである。

375年、フン族は黒海北岸にいたゲルマン人、東ゴート族に襲いかかり、征服してしまう。

そしてさらに西ゴート族にも危機が迫った。フン族に追われた西ゴート族は、暴徒と化してローマ帝国に侵入した。当然、ローマ帝国は鎮圧にかかるのだが、これに失敗。378年には、ゲルマン人のローマ帝国内への定住と自治を認めることになった。

こうして、ゲルマン人は大手をふって、ローマ帝国に入れることになり、「大移動」が始まった。

ゲルマン人の大移動が始まった頃に皇帝の座にあったのは、テオドシウス帝である。

テオドシウス帝は、その死に際して、コンスタンティノープルを都とする東ローマ帝国と、ミラノを首都とする西ローマ帝国に分割することにし、二人の息子をそれぞれの帝位につけた。

当初は、ディオクレティアヌス時代の四分割統治にならった分割統治のはずだったのだが、以後、東西の帝国は再統一されることはなく、別々の道を歩んでいくことになる。

こうして、メソポタミア、エジプトの二大文明に始まり、ローマ帝国へと発展した古代世界は、中世へと突入していくのである。

ゲルマン人に滅ぼされた西ローマ帝国

ゲルマン人は、イタリア半島にまで進出していった。476年、ゲルマンの傭兵隊長オドアケルは、西ローマ帝国の2歳でしかなかったロムルス皇帝を退位させた。

その前の時点で、すでに西ローマ帝国は帝国としての実態を失っていたといえる。オドアケルは帝冠を東ローマ帝国のゼノン皇帝に返還した。これにより形式上はローマ帝国はひとつに戻るのだが、オドアケルがローマ皇帝の臣下として、イタリアを統治することになったので、実質的には、西ローマがゲルマン人に乗っ取られたことになり、この年をもって、西ローマ帝国は滅亡したとされる。

こうしてイタリアを手にしたオドアケルだったが、その天下は長くはない。ローマ時代の元老院をそのまま残すなど、古代ローマにならった統治をしていたが、東ローマ帝国のゼノン皇帝は、東ゴート族のテオドリック王にオドアケル討伐を命じた。489年、テオドリックはイタリアに侵攻した。防戦していたが、493年にオドアケルは降伏し、その直後に暗殺されてしまった。こうして、テオドリックによる東ゴート王国が、イタリアに成立した。

一方、それ以外の地域のゲルマン人も、それぞれの王国を築いていた。ガリア（フランス）にはフランク、いまのイギリスにはアングロ・サクソン、イベリアは西ゴート、中部ガリアにはブルグンドなどの王国ができた。

3

日本と中国 I

伝説から歴史へ——夏、殷

中国の伝説では、最初の支配者として「三《さん》皇《こう》」と呼ばれる三人がいるが、これはほとんど神話の世界である。その次に、黄帝《こうてい》をはじめとする「五帝の時代」となるが、これも伝説であり、この時代についての考古学的な確証はない。

その次の夏《か》王朝は一七代471年にわたり続いたことになっているが、これも遺跡が発見されていない。だが、伝えられている史料では、かなり具体的に記されている。

五帝の時代は禅譲によって天子の座が継承されていったが、夏の禹《う》は、自分の息子に世襲させた。これによって、中国に王朝というものができたのである。

紀元前1600年頃、その夏王朝一七代目の王は桀《けつ》といった。

桀王は、かなり暴虐非道の王だったようだ。さらに、末喜《ばっき》という美女を寵愛し、肉欲に溺れ、彼女の言いなりになった。そんな王には仕えることはできないと、家臣だった湯《とう》が桀を倒し、新たな王朝、殷《いん》を建てた。

その後、殷王朝は湯の子孫が代々の天子として三〇代にわたり続いた。その間に、栄えたり衰えたり、都を遷すなどの出来事があったようだ。この時代に、いまの漢字の祖先ともいうべき、甲骨文字《こうこつもじ》という文字も存在していた。

この時代の中国は、まだ中央集権的な統一国家はない。各地に国があり、その部族の長（諸侯という）がそれぞれの領土を支配しており、殷王朝が中国全土を直接支配していたわけではない。殷の王と、各地の部族の長の関係は主従関係というよりも、同盟関係に近かった。

文明としては、この時代に青銅器が発明された。かなり優れた青銅器が発掘されており、高度な文明があったと推測されている。

封建制度を生んだ中国最長の王朝——周

紀元前1000年頃、中国の殷の最後の王は、紂《ちゅう》だった。

ちなみに、中国の王や皇帝の名は、諡《おくりな》といって、死後に与えられるもので、生前に呼ばれていたものではない（日本の天皇の名も同じ）。ただ、歴史書では、この諡で記述するのが一般的なので、本書もそれにしたがう。

紂は生まれつき、頭がよく、弁舌にもたけ、さらに怪力の持ち主でもあった。最初はいい王だったのだが、しだいに暴君となった。池を酒で満たし、木々に肉をぶらさげ、さらに、その肉の林のあいだに、裸の男女を走らせてそれを見物した。ここから、ぜいたくをきわめた酒宴のことを「酒池肉林」というようになった。紂は愛人を溺愛し、そのいうことならば、なんでもきいてやった。一方、庶民に対しては重税を課したので、恨みが蓄積していった。当然、人心は離れ、諸侯のなかにも離反していく者が現れ出した。

殷王朝を倒したのは、三人の重臣のひとり、西にある周《しゅう》という国の公、西伯昌《せいはくしょう》だった。彼はなかなか人望があり、諸侯からの信頼も得ていた。周が殷を倒すのは時間の問題と思われていたが、西伯は病死してしまう。

その後を継いだ息子の発《はつ》が、殷を倒し、ここに新たに周王朝が誕生した。これがいつだったのかについては、学説によって約八〇年の開きがあり、紀元前1111年から1027年までのあいだとされている。

発は殷を倒して二年で死んでしまい、初代の王として、武王という諡がおくられた。

周の時代になっても、天子の地位は諸侯連合のトップにすぎなかった。だが、殷とは異なり、諸侯に領土を与えるかわりに、周王朝への忠誠を求め、それぞれの領土は周の藩屏《はんぺい》(防衛の拠点)とした。これを、封建《ほうけん》制度という。この場合の「封」とは「邦《くに》」という意味で、邦を建てる、建国という意味である。それぞれの領土においては、その領主に全権が与えられ、その地位は世襲とされた。諸侯としては周に逆らわなければ、権力は安泰で、自分の子孫に譲ることができた。周王朝としても、領主の地位を認めておけば自分に叛かないわけだから、中央の権力は安定する。

こうして、今から3000年から3100年ほど前に、周王朝は確立された。以後、その力は衰えはするが、春秋・戦国時代を経て、前256年に秦に滅ぼされるまで、形式的には800年近く周王朝は継続する。中国最長の王朝といっていい。

覇権を競った五人の主役 ——春秋時代

前782年、周王に幽王《ゆう》が即位した。武王から数えて一二代目である。

周王朝の権威はかなり落ちていた。封建諸

侯が自分たちの領地を豊かにし、独立性を高めていた。前８４１年には内乱が起き、一時は王が亡命したほどである。その後も、西の異民族との戦争で失敗するなど、周王朝はだんだんに力を失った。

そんなときに、幽王は即位した。幽王は絶世の美女の褒姒《ほうじ》を溺愛した。

幽王には、申《しん》侯一族出身の正妻がいて、彼女の産んだ子、宜臼《ぎきゅう》が太子として立てられていた。だが、褒姒に子が生まれると、申一族は疎んじられてしまった。そこで、同じように不満を抱く諸侯とともに造反し、周に隷属していない異民族の犬戎《けんじゅう》と共闘して、叛乱を起こした。幽王はあっさり殺され、褒姒《ほうじ》は捕えられ、その子は殺された。

こうして、周王朝はいったん、滅亡した。だが、幽王の子の宜臼が申侯によってかくまわれて、生きていた。諸侯は申侯のもとに参集し、宜臼を新たに王位に就けることで合意した。これが平王《へいおう》である。

前７７１年に平王は即位し、翌前７７０年、それまでの西の豊邑《ほうゆう》にあった都を、東の洛邑に遷都した。このことから、幽王までの周を西周《せいしゅう》、以後を東周《とうしゅう》という。

周は、名目上は存続することになったが、もはや実権はなかった。封建諸国はそれぞれの力をつけていき、中国は乱世を迎える。

洛邑に遷都した前７７０年から、晋《しん》が韓《かん》・魏《ぎ》・趙《ちょう》の三国に分割されたのを周の王が認めた前４０３年までを、春秋時代という。孔子がこの時代の魯《ろ》国の歴史を記した年代記のタイトルが「春秋」だからである。

この春秋時代の主役は、「春秋の五覇」と呼ばれる五人だ。斉《せい》の桓公《かんこう》、晋《しん》の文公《ぶんこう》、秦の繆公《ぼくこう》、宋の襄公《じょうこう》、そして楚《そ》の荘王《そうおう》である。だが、これには諸説あり、その他にも、呉《ご》や越《えつ》の王を五覇にあげる研究者もいる。

ガウタマ・シッダールタが悟りを開くまで

インドでは、文明が誕生し、社会が生まれ、部族国家へと発展していく過程で、大きく四段階に分かれた身分制度（カースト）も出来上がっていた。

そのインドに大きな変化が起きるのは、仏教の誕生によってである。当時、インドを支配していた宗教（バラモン教）は、形式主義に陥っていた。バラモンたちは祭式ばかり重視し、人々を救済しようなどとは考えなかった。

人々は、漠然とではあろうが、これでいいのだろうか、と思っていた。そんなところに、「新興宗教」としての仏教が登場するのである。

仏陀は、ヒマラヤの山麓にあるシャカ族の小さな王国の王子として生まれた。クシャトリア階級である。その生年は、紀元前５６３年とされている。名はガウタマ・シッダールタという。16歳で結婚し子どもも生まれたが、29歳ですべてを捨てて出家してしまう。そして、６年にわたり苦行をした後、菩提樹の下で悟りを開き、仏陀（真理を悟った覚者という意味）となるのである。

その思想は、きわめて単純にいえば、「人類はみな平等である」というもの。当然、バラモン以外の多くの人々の支持を集めた。

悟りを開いてから80歳で亡くなるまでの45

年間、仏陀は多くの弟子をつくり、各地を布教した。

同じ頃に生まれた、もうひとつの、当時の「新興宗教」がジャイナ教である。創始者はやはりクシャトリア出身のヴァルダマーナ。ジャイナ教もカーストを否定したが、仏教よりも戒律が厳しく、人々に苦行を求めた。

生き残った七つの大国
――戦国時代

中国の春秋時代は、諸侯の上に立つ周王朝の権力と権威が名目だけのものとなり、各国のトップ（国君）のなかで強い者が覇者となる体制として、しばらく続いた。その間、何人もの覇者が交代したが、いずれも、国のトップである公や王は、代々世襲で継承されていた。

しかし、その各国の公が名目だけの君主となり、臣下であった卿が政治の実権を握るようになる。

晋では、十数家あった卿のなかで、韓、魏、趙、范《はん》、中行《ちゅうこう》、智《ち》の六氏がとりわけ強くなり、「晋の六卿」と呼ばれた。その六つの一族間で血を血を洗う内戦が繰り広げられた。

前453年、晋の六卿は、韓、魏、趙の三卿となったのである。

前438年、晋の国君、哀公が没した。その後を継いだのは幽公だった。それまでは名目だけでも国君として、臣下の礼をとっていた三氏は、ここにいたり、ついに、それすらもしなくなり、幽公のほうから、三氏の家に挨拶に出向いた。それでも、この時点では、名目だけは晋という国があり、公がいた。

前403年、名実ともに、晋がなくなった。周の威烈王《いれつおう》は、韓、魏、趙の三氏をそれぞれ諸侯に封じたのである。このときをもって春秋時代が終わり、戦国時代になるというのが、一般的な学説である。

韓、魏、趙の三国はしばらくは三晋と呼ばれ、戦国時代を通じて、兵力の強さで恐れられていた。

こうして、新しい時代が始まった。これが、中国の「戦国時代」で、前221年の秦による中国統一までをこう呼ぶ（どこで区分するかについては、諸説ある）。

周王朝が始まった当初、国は二〇〇〜二五〇前後あったが、強い国が周辺の国を次々と征服し、春秋時代が終わるころには、七つの大国に収斂されていた。その、秦、楚、斉、燕、趙、魏、韓の七国を「戦国の七雄」という。

完全に周を滅ぼしたのは秦だった

中国の戦国時代半ば、強大な国が登場してきた。もとは辺境の地の小国だった秦が、政治改革・行政改革に成功し、急成長したのだ。

前307年、その秦で昭襄王が即位した。この時点で、中国全土を支配する可能性があったのは七大国のなかでも、西の秦、南の楚、東の斉の三大国に絞られていた。その時々に応じ、楚と斉が同盟して秦と対峙したり、秦と楚が同盟し、斉と戦っていたが、最初に落ちたのは、楚だった。

前299年、秦は楚に侵攻し、八つの城を占領するなど圧勝した。

▶戦国時代

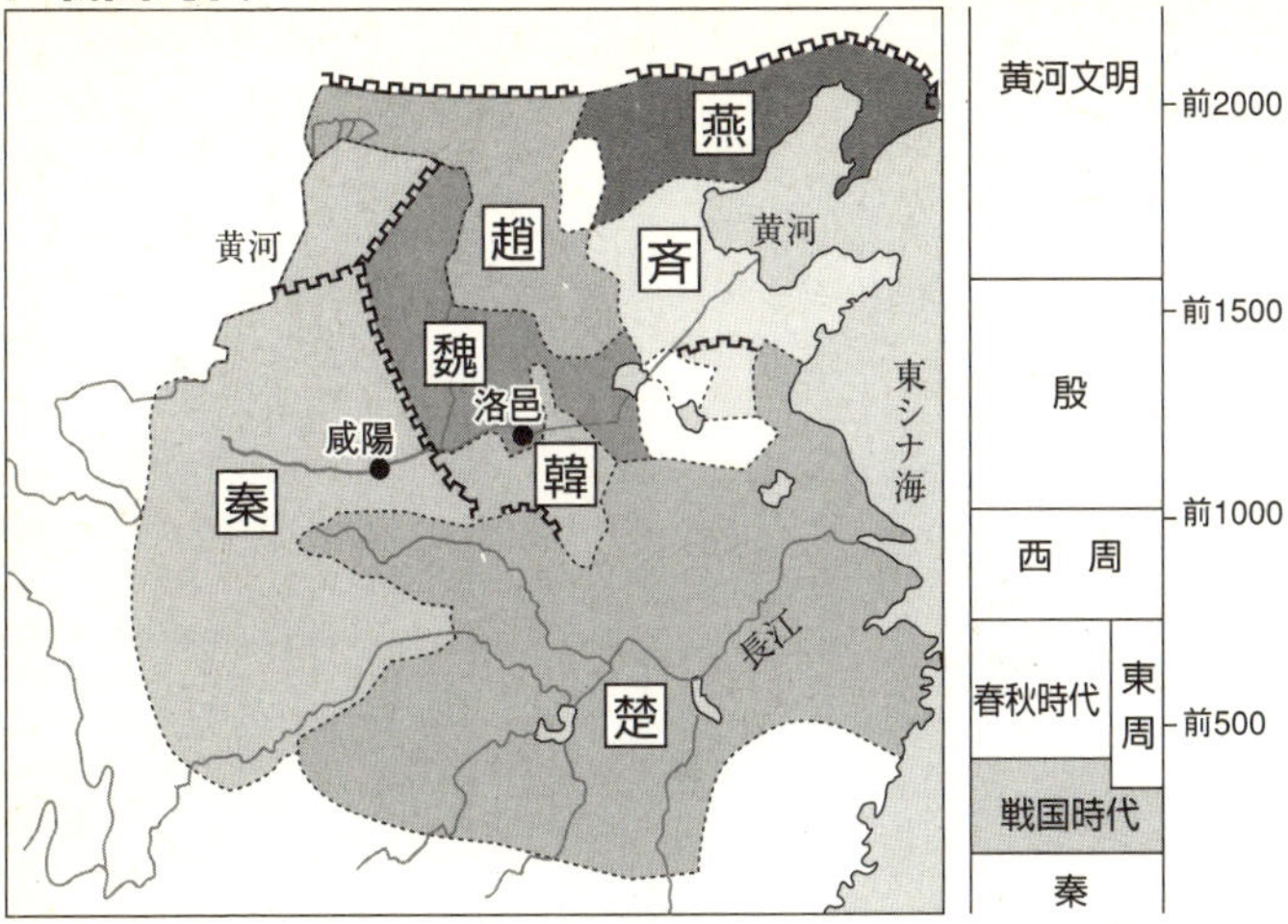

前２８８年、中国を東西に二分し、秦の昭襄王を西帝、斉の湣《びん》王を東帝と称する平和協定が結ばれた。これにより斉が強くなったことで、秦以外の六国間の力関係にも変化が生じた。

北東に位置する燕で政変が起きると、斉は侵攻し、さらに勢いをつけて、南の宋を滅ぼした。燕は斉を憎み、同様に斉が強くなるのを快く思わない趙、韓、魏、そして秦との五か国連合を組んだ。連合軍と斉との戦いにより、斉は勢いを失った。結果的に、これにより秦は相対的に最も強くなった。

前２７８年、秦は楚に侵攻し都を陥落させた。

前２６０年、秦と趙は、戦国時代後半の最大の決戦である「長平《ちょうへい》の戦い」に臨んだ。秦は趙を大敗させ、その兵士40万人が生き埋めにされた。

さらに前２５６年、東周を完全に滅ぼした。

こうして、ほぼ中国全土を手に入れたところで、前２５１年に昭襄王は亡くなった。その在位は56年もの長きにわたった。つづく二代の王は短命で、前２４７年、政《せい》が王として即位した。後の始皇帝、このとき13歳であった。

中国全土を手に入れた始皇帝

秦王となった政は王家の子ではあるが、その出生には当時から疑問も持たれている。いずれにしろ直系ではなかったので、本来なら王になるはずがなかった。

即位したときはまだ少年だったので、母の愛人とされる大商人の呂不韋（始皇帝の実父との噂がある）が相国というポストに就き、実権を握った。

前２３５年、成長した政は呂不韋を失脚させ、名実ともに秦の王となった。

秦の全権を掌握した政の前には、弱体化したとはいえ、六つの大国が敵として存在した。秦が本格的に各国を滅亡させるのは前２３０年からである。

前２３０年には隣国の韓が滅びた。ついで、趙に侵攻し、前２２８年に滅ぼした。前２２６年には燕に侵攻し、都を陥落した。前２２５年には魏と戦い、魏王が降伏した。残るは斉と楚である。

前２２３年に楚が滅んだ。都は陥落したものの、まだ完全には滅んでいなかった燕も、前２２２年に滅ぼされた。そして、前２２１

に東の大国・斉も滅んだのである。この間、わずか十年。怒濤のような侵攻であった。

天下を統一した秦王・政が最初に決めたことは、自らの称号であった。戦国時代、本来はひとりしかいないはずの「王」が、何人も存在した。いわば、王と王の争いが戦国時代だった。それに勝利した政は、これまでの王とは異なる次元に立ったので、それにふさわしい称号が必要だと考えた。こうして、伝説の「三皇五帝」にちなみ、「皇帝」という称号を考え出し、自ら名乗った（「皇帝」の由来については諸説ある）。さらに、謚号も廃止し、自分のことを存命中は「皇帝」、死後は、初代の皇帝という意味で「始皇帝」と呼ぶように決めた。その次の皇帝は「二世皇帝」、そのまた次は「三世皇帝」とし、未来永劫、続くようにした。

こうして、中国に皇帝が誕生した。始皇帝の構想では二世、三世と続くはずだったが、わずか二代にして秦の皇帝は滅ぼされ、以後、いくつもの王朝が栄えては滅ぶ。謚号も復活し、皇帝の名前を数で区別するのは、秦が最初で最後となってしまった。

秦が征服した領土は、ほぼ現在の中華人民共和国の領土と等しい範囲である。この広大な領土をいかに統治するかが、始皇帝の最大の課題だった。始皇帝は中国全土をすべて皇帝の領土とした。とはいえ、直接、統治するのは不可能である。そこで、全国を三六の郡（後に四八になる）に分け、各郡に「守《しゅ》」を長官として派遣しその下に副官として「丞《じょう》」、軍の指揮官として「尉《い》」、監察官として「監《かん》」などの役人を置いた。その地位は世襲ではなかった。全国の郡県と都を結ぶ幹線道路も建設された。その全長は七五〇〇キロメートル。さらに天下統一とともに、各地方でばらばらだった度量衡、通貨、そして文字も統一された。

中国の北、いまのモンゴル高原に匈奴《きょうど》と呼ばれる遊牧民族がいた。この匈奴は、昔から度々攻め込んできた。その備えとして建設されたのが、万里の長城である。始皇帝は以前からあった長城を、伸張してつなげ、四〇〇〇キロにわたるものにした。この工事には数十万人が動員された。さらに、阿房宮という豪華な宮殿や自分の墓となる皇帝陵の建設も始め、これにも何十万人もが動員された。

始皇帝の悪政の代表としていわれるものに「焚書坑儒《ふんしょこうじゅ》」がある。殷や周の時代の封建制度を賛美していた儒家の教えを弾圧するために、儒家の書いた本を焼き、学者を穴埋め（坑儒）にした。思想弾圧、言論弾圧の象徴となった。世界史上、焚書をしたとして有名なのは、始皇帝とローマ皇帝ネロ、そしてヒトラーの三人である。

前２１０年、始皇帝は旅の途中で発病し、そのまま五〇年の人生を終えた。

項羽と劉邦の死闘の結末
——前漢

始皇帝時代からの大規模工事は、戦争以上に人民に苦役を強いた。人々の不満は充満し、前２１０年の始皇帝の死によってそれが噴出、前２０７年には各地で叛乱が起きるようになっていた。そのなかで頭角を現してきたのが、項羽と劉邦である。

項羽は楚の国の将軍の家の出身だったが、

彼がものごころついたころ、すでに楚は滅亡していた。前２０９年、始皇帝が没して翌年のこと、各地で秦の圧政に堪えかねた人々が叛乱軍として決起した。秦に滅ぼされたかつての六強国では、それぞれの王が立ち上がった。かつての楚の将軍家の項梁《こうりょう》とともに蜂起したのが、その甥の項羽であり、農民出身の劉邦だった。

項羽軍は強く、連戦連勝だった。その戦いは激烈で、殺戮につぐ殺戮だった。一方の劉邦は肉弾戦より調略を重視し、なるべく戦闘をしないで、各地を制していった。だが、先に秦の都に入ったのは項羽で、秦王を殺した。

最高権力者を倒した者が次の権力者となるという、中国史における、いや世界史における原則がこの場合もあてはまり、項羽がすべての実権を握った。

項羽の統治は、秦帝国の郡県制度ではなく、周王朝の封建制度を真似したものだった。秦との戦いで論功のあった将軍たちや、旧六国の旧王族たち一八人を全国各地に封じて、王にした。項羽の論功行賞には原則がなく公平でもなかった。そのため、不満が鬱積した。項羽に不満を抱く者は、漢に封じられた劉邦のもとに参集した。こうして、項羽と劉邦の死闘が始まった。

項羽は、もはや天下は自分のものだと錯覚し、前２０５年に彼の権威の拠り所となっていた楚王懐王を、用済みとみなして殺してしまった。

これによって、劉邦には項羽討伐の大義名分ができ、挙兵した。ところが、劉邦率いる項羽討伐軍は五六万もの兵を有しながら、三万の項羽軍に負けてしまう。その後も楚と漢の間で激戦が各地で展開した。この間、項羽のもとからは、有能な臣下が離反し劉邦側に寝返るなど、項羽の人徳のなさによる陣営のほころびが目立ってきた。

前203年、膠着した状況をどうにかしようと、項羽と劉邦の間で、天下を東西に二分し、東を楚、西を漢にすることで合意が成立した。両軍はそれぞれの拠点に帰還することになったが、項羽軍を劉邦は背後から追撃した。停戦合意を裏切ったのである。漢軍の急襲により、項羽は危機に陥った。亥下《がいか》で項羽は漢軍に囲まれた。その夜、楚の歌を歌う声が項羽を包囲した。「四面楚歌」として有名なシーンである。敗北を悟った項羽は最後の酒宴を開くと、八〇〇騎余りの部下とともに、闇にまぎれて、漢の包囲を突破した。しかし、烏江《うこう》に到達すると、ここまでと覚悟し、その地で追撃してきた漢軍に立ち向かい、その戦闘のさなか、自らその首をはねた。

前202年、劉邦は皇帝に即位し、漢帝国が建国された。

秦の始皇帝によって確立された郡県制は、項羽によっていったんは封建制に戻された。その後を継いだ劉邦は、その折衷案ともいえる郡国制を導入した。四二あった郡のうち、一五を漢帝国の直轄地とし、皇帝直属の中央から派遣された役人が統治した。その他の郡には、周時代の封建制のように、軍功のあった者や一族が王や諸侯として封じられ、かなりの独立性をもった。つまり、一つの帝国に二つの制度が生じたのである。

血筋が正しいわけでもなく、項羽のような天才的な軍人でもなかった劉邦は、皇帝になってから、不安に襲われた。面倒見がよく、人に慕われた劉邦は別人になった。側近や親しい仲間だった将たちを、次々と粛清しはじめたのである。

前196年、諸侯のひとり黥布《げいふ》は粛清されそうになったのを察すると、先手を打って叛乱を起こした。

劉邦は自ら兵を率いてこれを鎮圧したが、その戦いで受けた傷がもとで、翌年、亡くなった。

わずか15年で滅びた王朝——新

武帝の晩年から、漢帝国の朝廷は混乱していた。後継者争いを通して、皇帝の外戚（妻の実家）の力が強くなった。外戚支配の始まりでもあった。その後の数代の皇帝はいずれも短命だった。

前33年に元帝が亡くなると、その子が、19歳で皇帝に即位した。政務はすべて母の王太后とその実家、外戚の王一族にまかせた。こうして力をつけた王莽は、一度は失脚するが、復権した。

西暦5年、王莽はクーデータで皇帝を殺し、8年には、自らが皇帝になったと宣言し、国名を「新」とした。

皇帝になった王莽は改革に乗り出し、土地の国有化、奴隷の私有禁止、商業の抑制といった政策を打ち出したが、支持されず、撤回した。外交でも異民族に与えていた「王」の称号を取り上げ、「侯」に格下げしたため、反発をくらい、匈奴は叛乱を起こした。これを鎮圧するために大軍を派遣したが失敗し、軍事費のみが増大していった。さらに、二度

文明の誕生
ギリシャ・ローマ
日本と中国 I
ヨーロッパとイスラム
日本と中国 II
ヨーロッパの展開
日本と中国 III
激動する世界

にわたる大きな飢饉があり、人々はそれも王莽のせいだと憎んだ。

地方の豪族たちが立ち上がり、叛乱軍が組織化された。

23年10月、首都洛陽は陥落した。王莽は最後まで戦ったが、ついに負けた。その遺体は斬られたあげく、食べられてしまった。その首は晒され、人々はそれを鞭で打った。いかに恨まれていたかを物語る。

漢を倒した新王朝はわずか十五年で倒れてしまった。

再興された漢王朝——後漢

新の王莽に対する叛乱を先に起こしたのは、農民集団の赤眉《せきび》軍だった。つづいて、南方の緑林山《りょくりんざん》を拠点とする緑林軍も決起した。そのなかにいた劉秀が叛乱軍のなかで実力をつけ、25年に皇帝を名乗り、29年、再び中国を統一した。

この新しい漢王朝を、以前の漢王朝と区別するため「後漢」といい、以前のものは「前漢」と呼ばれる。漢王朝再興の祖として名高い劉秀の諡号は光武帝《こうぶてい》である。

王莽のクーデターからの二十数年の内乱で中国は荒廃した。前漢時代最盛期に六千万人いたと推定される人口は、飢饉や戦乱のおかげで、二千万人に激減していた。農業の生産量も落ちた。

これらを回復させることが急務で、奴隷解放令を出したり、田畑の税を軽減させるなどの政策で、生産力を上げげた。外征は避け、匈奴に対しては懐柔策をとった。

統治機構としては、息子たちを各地の諸侯王に封じ、全土の安定を優先させたが、その後、諸侯の権力は削減され、皇帝に権力が集中するようにした。

彼が生きている間は、強いリーダーシップのもと、皇帝親政が可能で、外戚や宦官の出る幕はなかった。だが、その死後は、またも、外戚と宦官が、それぞれ国政を牛耳るようになっていく。

曹操、劉備、孫権の死闘 ——三国時代

後漢王朝の皇帝は名目だけの存在となり、外戚と宦官が権力をめぐって暗躍するようになった。

１６８年、霊帝《れいてい》が一一代皇帝として12歳で即位したのが、いわゆる、「三国志」時代の始まりである。

王朝の腐敗は末端の官僚にまで伝染し、役人たちは賄賂をとるのが当たり前となっていた。天候不良で飢饉となり、飢える人は増大、１８４年には大規模な叛乱、黄巾の乱が勃発した。

中央では、権力を握っていた宦官を一掃するクーデターも起きた。そのどさくさで、皇帝を囲みこんで、権力を握ったのが董卓《とうたく》だった。だが、何の国家ビジョンももたない董卓は、ただ暴虐の限りを尽くし、贅沢三昧に暮すだけだった。そこで、袁紹をリーダーとする反董卓連合軍が結成されたが、そのなかにいたのが曹操である。

董卓の死後、生活に困っていた皇帝を迎え入れたことをきっかけにして、曹操は権力を

握っていく。

後漢帝国は名目上は中国全土を支配していたが、かつての戦国時代のように、独立国が乱立していた。曹操が支配下に置いたのは、中国大陸の南北方向でみると中央にあたった。北には袁紹、南の呉には孫策《そんさく》とその死後は息子の孫権《そんけん》がいた。

208年、すでに袁紹を倒していた曹操は、北から攻められる不安が解消されので、南下した。孫権の軍に合流したのが「三国志」の主人公、漢王朝の末裔である劉備玄徳だった。諸葛孔明を軍師とする劉備は、孫権と反曹操同盟を結び、「赤壁の戦い」で曹操軍に壊滅的打撃を与えた。曹操の中国全土を統一する野望はいったん潰えた。

曹操は方針転換し、南は当分、ほおっておき、その間に自分の国を建国することにした。

213年、曹操は魏公《ぎこう》となった。それまでは皇帝から委任されて国を統治する立場だったが、自分の領土とし、これを魏と称し、その君主として「公」と名乗ったのである。中国の北側が魏となり、南のうちの東側が孫権の呉、西側が劉備の蜀となった。

人口や生産物などを総合した国力では、魏が圧倒的に強く、呉と蜀を合わせても、とてもかなわなかった。曹操は事実上、中国を握ったのである。

216年、曹操は魏王となった。だが、ここまでだった。220年、曹操は死に、後を長男の曹丕《そうひ》に託した。曹丕の部下たちは漢の献帝に譲位を求め、後漢王朝は完全に終焉を迎え、魏が新たな帝国となった。

だが、221年には劉備が自分の治めていた国を蜀帝国とし、皇帝を名乗った。その翌

▶三国時代

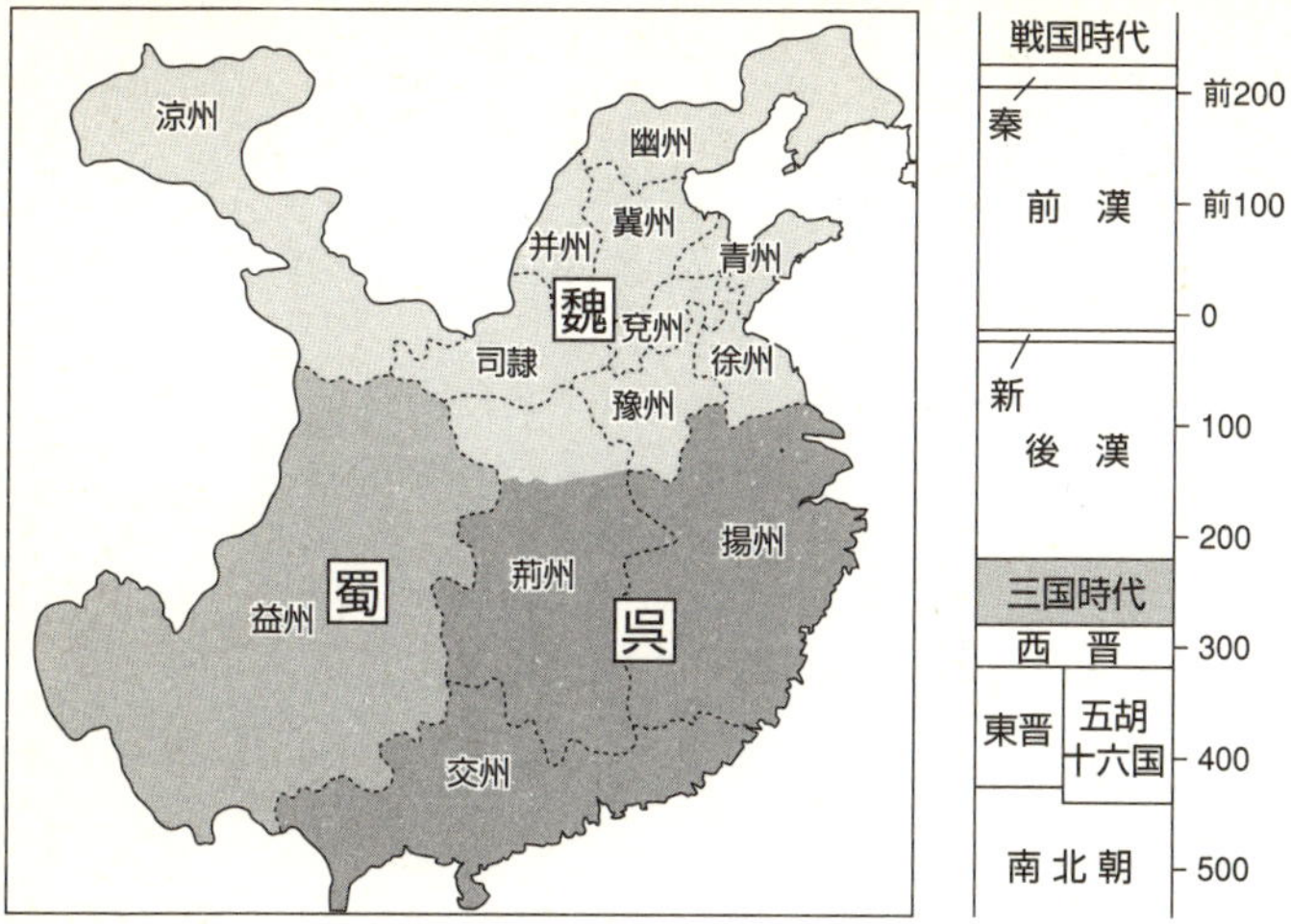

年の222年には、孫権も呉を帝国とし、皇帝となった。

中国に三つの帝国、三人の皇帝が鼎立する、三国時代となったのである。

漢に送られた倭の奴国の使者

日本のことが中国の歴史書に登場するのは、劉邦が建てた漢帝国の歴史書『漢書』の「地理志」という部分である。

それによると、紀元前1世紀頃の日本列島は、「倭《わ》」と呼ばれ、100あまりの国があったという。

中国ではいったん漢王朝が滅び、再興されて後漢帝国の時代となるが、その『後漢書』の「東夷伝」によると、倭のなかのひとつ、奴国《なこく》が、後漢王朝に貢物をしたのが、57年で、当時の皇帝・光武帝から印綬を授かったとある。

107年には、倭の国王が160人の奴隷を中国に献上したとの記録がある。すでに、それぞれの国には王がいて、それを補佐する大臣などの貴族階級と奴隷がいたわけで、古代日本社会に階級ができていたことを示すものである。

そして、140年代から180年代にかけて、倭国に大乱があったと記録されている。

いまだ解けない邪馬台国の謎

中国の歴史書に邪馬台国が登場するのは、『三国志』の「魏志倭人伝」である。後漢王朝が滅び、動乱の時代を迎えていた中国だが、魏の勝利でとりあえず、落ち着いた。その魏に、卑弥呼が使者を送ったのが、239年のことだった。2世紀後半に起きた大乱は、邪馬台国に女王卑弥呼を立てることでおさまり、30ほどの国の連合体が生まれていたようである。

この邪馬台国がどこにあるかについて、主に九州説と近畿説の二つの説があり、いまも結論が出ていないのは、ご存知のとおりである。

「魏志倭人伝」の記述が不正確なのと、それらしい遺跡が発見されないので、いまだに分からない。

また、この邪馬台国がそのまま後の大和朝廷になったのかどうかも、決定的な証拠がなく、はっきりしない。

▶邪馬台国

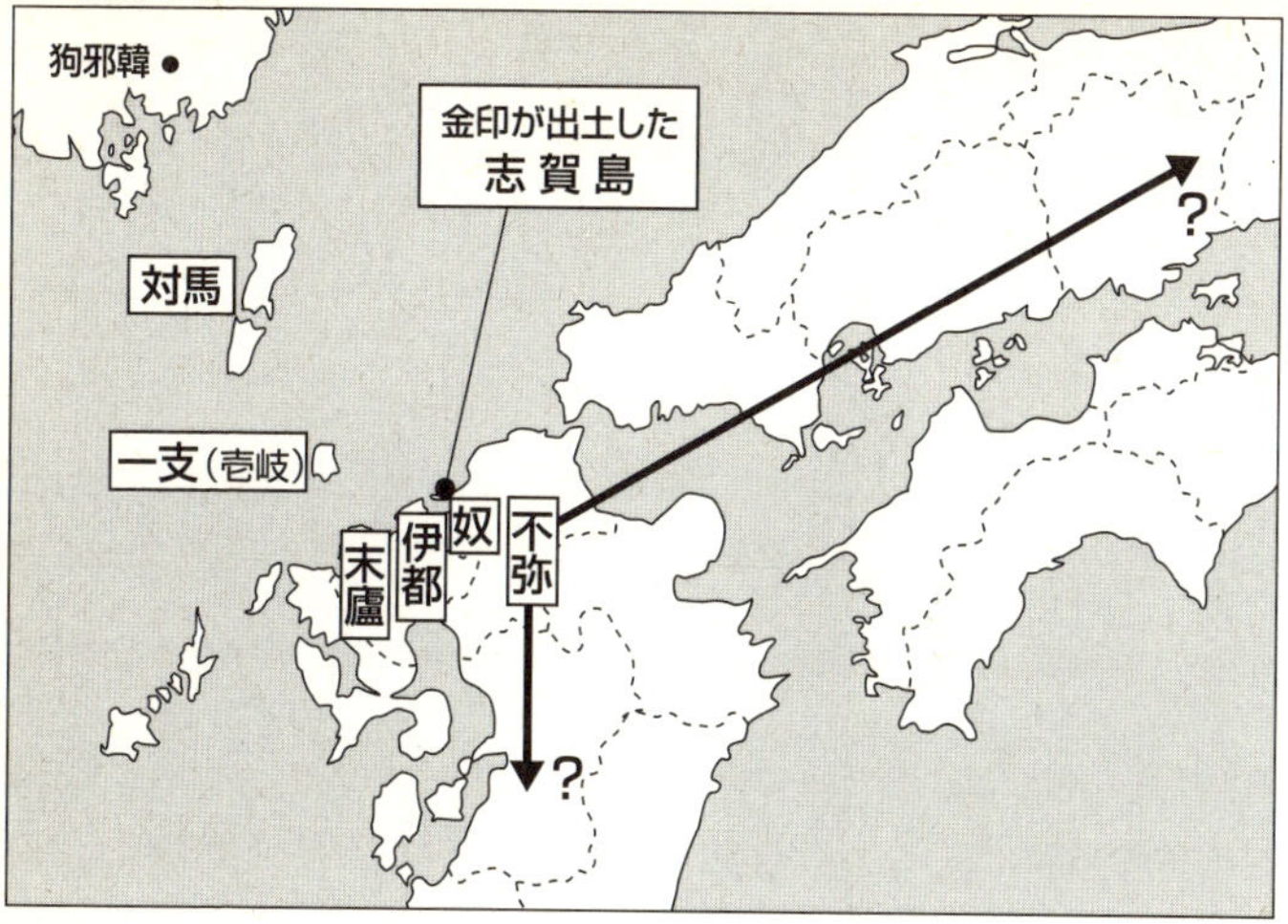

動乱の時代に終止符を打つ
——晋

司《し》馬《ば》懿《い》は魏の曹操に仕え、その死後も魏のために尽くした参謀だった。２２０年に曹操が亡くなった後は曹丕に仕え、魏帝国の建国に尽くした。

２２７年、すでに蜀の劉備は亡くなっていたが、後を託された諸葛孔明率いる蜀が、魏に攻めてきた。司馬懿は、蜀の弱点は兵站にあると見抜いていた。敵をあなどらず、挑発に乗りさえしなければ、勝てはしなくても、負けることはないと踏んでいた。五度にわたる諸葛孔明率いる蜀の侵攻に、魏軍は負けなかった。最後の遠征の途中で、諸葛孔明は病死した。

蜀軍を敗退させたことで、司馬懿は魏帝国での最大の実力者となった。

だが、２３９年に二代目皇帝曹叡が36歳の若さで亡くなると、実権を握った曹操の一族により、司馬懿は左遷させられた。だが、そのままでは終わらず、新政権が蜀への侵攻に失敗すると、２４９年、一族を総動員し、クーデターを起こした。

司馬懿は政権の基礎を作ったところで寿命が尽き、２５１年に病死した。息子の司馬師《しばし》と司馬昭《しばしょう》が後を継いだ。

２６０年、司馬一族に対するクーデターが起きたが、皇帝を殺害し、危機を乗り切った。

２６３年、魏はついに蜀を滅ぼす。

２６５年、司馬昭の死後、後を継いだ息子の司馬炎《しばえん》は、皇帝に譲位を迫り、自ら皇帝に即位した。曹操が建国した魏帝国はここに滅び、新しい王朝、晋が建国された。祖父にあたる司馬懿は、死後、晋の初代皇帝として、宣帝《せんてい》と諡号を贈られた。

魏・蜀・呉の三国で残ったのは、呉帝国だけだった。呉の孫権は長命で、２５２年まで生き、71歳で亡くなったが、後継者争いで国が二分し弱体化した。２７９年、晋軍は呉に侵攻し、翌２８０年、呉帝国は滅亡した。こうして、魏、蜀、呉の三国はすべて滅亡し、晋による中国統一が実現した。約百年にわたる動乱の時代に、とりあえず、終止符が打たれたのである。

再び分裂の時代へ ——五胡十六国

晋のもと、中国は統一されたが、帝位をめ

ぐり晋王朝内部が分裂すると、その混乱に乗じて異民族が攻め入ってきた。

３１６年、匈奴によって晋は滅びた。わずか四代三六年の帝国だった。

３１８年、しかし、生き残った司馬氏の一族が南の現在の南京に逃れ、その地で王朝を再興した。区別するために、最初の晋を西晋、次のを東晋と呼ぶ。

晋が再興したとはいえ、その版図は江南の地だけだった。北は漢民族ではない五つの異民族（五胡という）に支配されていたのである。こうして、中国全土は南北に分かれ、以後、南と北はそれぞれ独自の展開をしていく。中国の南北時代の始まりである。

まず、西晋がいなくなった華北には異民族が侵攻し、匈奴をはじめとする五つの異民族（五胡という）が、一三〇年間に一六の国を興しては滅んだ（二〇とする説もある）。これを五胡十六国時代という。やがて、華北は魏（曹操の魏と区別するため、北魏という）によって統一され、江南を統一していた宋と対峙する。

一方の、いまの南京を首都とするかつて呉帝国の領土だった江南地域では、東晋の後、宋、斉、梁、陳と目まぐるしく王朝が交代した。そのなかでは宋が比較的長く続いた。三国時代の呉と東晋を加えると、この地域に六つの王朝が興亡したので、これを六朝時代とも呼ぶ。

多くの国が華北に乱立した五胡一六国時代は、３０４年から４３９年まで続いた。それを統一したのが、トルコ系遊牧民である鮮卑《せんぴ》族《ぞく》の拓跋《たくばつ》氏の建てた魏（北魏）である。もともとは山西省北部を領地としていたが南下した。開祖とされる道武帝《どうぶてい》は386年に即位し409年までその地位にあり、礎を築いた。三代目にあたる大武帝の時代に、他の五胡の諸国を次々と滅ぼし、華北を統一した。

ちなみに、中国では、この五胡十六国は、正統な王朝としては認められていない。晋を継承する南朝が正統ということになっており、地方王国が数多くあった、という位置づけのようだ。「五胡十六国」とひとまとめで呼ぶのも、そうした歴史観による。

朝鮮半島を舞台に百済、新羅と戦った倭

4世紀の日本列島での出来事については、中国の史料もなく、朝鮮半島にある「高句麗好太王碑」が唯一の史料である。これには、倭が朝鮮半島に進攻し、百済や新羅を破り、従えたとある。

このことから、この時点で日本列島には中央政権が生まれ、かなり強固なものとなっていることがわかる。国内をまとめたので、大陸に進出したのである。その政権が大和朝廷であるのは、ほぼ間違いないのだが、この大和朝廷がいつ成立したのか、はっきりする史料はない。

「倭の五王」とは誰なのか

南宋と北魏とが対立していた5世紀、再び、日本のことが中国の歴史書に載る。「倭の五王」である。421年の「讃」から、478年の「武」まで、五人の代々の王が中国に使

▶倭の五王

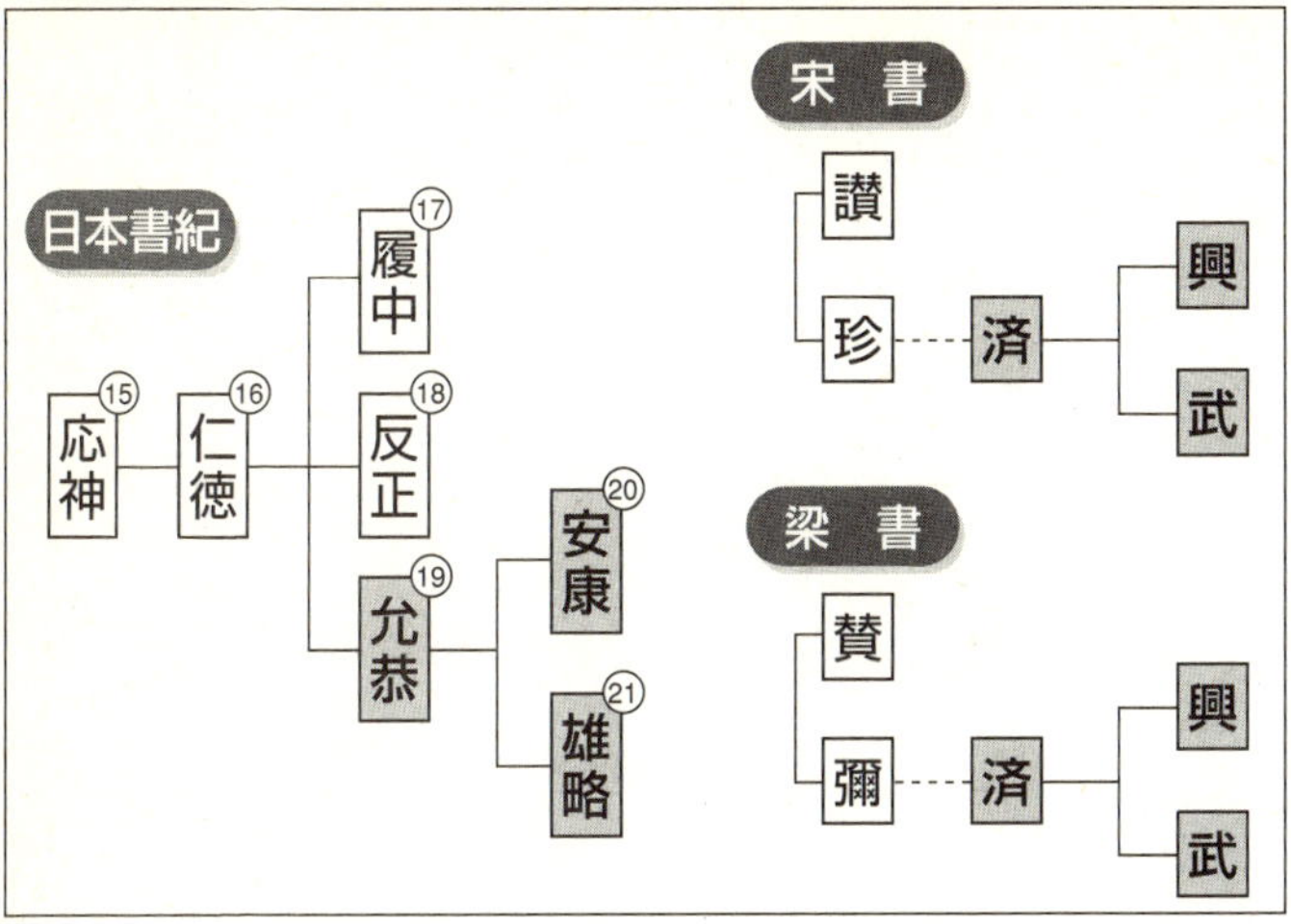

者を送り、朝鮮半島の百済や新羅を支配する権利を授かった。朝鮮半島では、高句麗、百済、新羅、加羅の四つの国が争っていたのである。

宋の歴史書『宋書』では、倭の五人の王の名前が中国風に表記されているため、歴代天皇の誰に該当するのかについては、はっきりしない。そのうちの三人については允恭天皇、雄略天皇、安康天皇であることはほぼ確実とされているのだが、残りの二人はよく分からないのである。

内乱がもたらした混乱——南北朝

華北を統一した北魏は、それまでの異民族王朝である五胡の諸国と異なり、漢民族との融合を図った。それが政権安定の道だと考えたのである。

積極的に漢文化を取り入れ、また人材も漢民族から登用した。孝文帝の時代になると、この路線がさらに推し進められ、異民族の漢民族化、すなわち中国化が図られた。だが、この漢化政策は、もともとの北方異民族の人々の間では評判が悪く、孝文帝への不満が高まった。

499年、孝文帝が三三歳の若さで病死すると、優遇されていた文官に対し、冷遇されていた武官たちの不満は爆発した。

523年、辺境の守備隊が叛乱を起こした（「六鎮の乱」）。叛乱軍は内地にまで侵攻したが、対する政府軍はまったく歯が立たず、異民族の将軍・爾朱栄《じしゅえい》によって、ようやく鎮圧された。これによって、北魏の実権は皇帝や宦官、貴族ではなく、爾将軍が握るようになった。

534年、内乱の結果、北魏は東西に分裂した。どちらも北方の異民族が実権を握った。東西の魏は相手を征服しようと、数回にわたり戦ったが、542年に休戦した。

その後、それぞれの国の内部で政権交代があり、550年に東魏は、斉と国名が変わった。

以前の斉と区別するため、北斉という。西魏も566年に、古代の周を理想とし、周と名乗るようになった。これを北周という。

北斉は建国後、国内が混乱したが、北周は中央集権的国家の建設に成功した。576年、武帝（北周）の時代に北斉へ本格的に侵攻し、滅ぼし、とりあえず華北は北周によって再統一された。

■世界史・日本史年表Ⅰ

■ヨーロッパ・アメリカ

前1600頃	クレタ文明繁栄
前1500頃	ミケーネ文明繁栄
前800頃	ポリスの成立
前776	第一回オリンピック
前753	ローマ建国伝説
前594	ソロンの改革
前508頃	クレイテネスの改革
前500	ペルシャ戦争（〜前449）
前490	マラトンの戦い
前480	サラミスの海戦
前479頃	デロス同盟
前431	ペロポネソス戦争（〜前404）
前371	ギリシャでテーベの覇権
前338	カイロネイアの戦い
前264	ポエニ戦争（〜前146）
前146	ローマがカルタゴを滅ぼす
前146	ギリシアがローマの属州に
前73	スパルタクスの乱（〜前71）
前60	第1回三頭政治
前46	カエサルによる独裁（〜44）
前43	第2回三頭政治
前31	アクティウムの海戦

■アジア・中東・アフリカ

前2371	アッカド王国
前1894	古バビロニア王国
前1600頃	殷がおこる
前1230頃	出エジプト
前1050頃	殷が滅び、周がおこる
前922	ヘブライ王国分裂
前770	春秋時代（〜前403）
前722	イスラエル王国滅亡
前671	アッシリアがオリエント統一
前612	アッシリア滅亡
前586	バビロン捕囚（〜538）
前563頃	ガウタマ・シッダールタ誕生
前550	アケメネス朝ペルシャ建国
前525	ペルシャ帝国がオリエント統一
前453	晋が韓・魏・趙に分裂する
前403	戦国時代（〜221）
前334	アレクサンドロス大王東征開始
前330	アケメネス朝ペルシャ滅亡
前221	秦の始皇帝による中国統一
前206	秦滅亡
前202	前漢建国

■日本

前27	帝政ローマの時代へ
30頃	イエスが処刑される
64	ネロ帝がキリスト教徒を迫害
96	ネルヴァ帝即位（五賢帝時代）
98	トラヤヌス帝即位
117	ハドリアヌス帝即位
138	アントニヌス・ピウス帝即位
161	マルクス・アウレリウス・アントニヌス帝即位
220頃	ゲルマン人のローマ侵入
235頃	軍人皇帝時代
284	ディオクレティアヌス帝即位
293	ローマ帝国四分割統治
306	コンスタンティヌス帝（～337）
313	ミラノ勅令
325	ニケーア公会議
330	コンスタンティノープルに遷都
376	西ゴート族がローマ帝国に侵入
380	キリスト教がローマ国教となる
395	ローマ帝国東西分裂
415	西ゴート王国建国
429	ヴァンダル王国建国
443	ブルグンド王国建国
476	西ローマ帝国滅亡

8	新建国
25	後漢建国
184	黄巾の乱
220	後漢滅亡。三国時代へ
226	ササン朝建国
280	晋による中国統一
304	五胡十六国時代（～439）
316	晋滅亡
317	東晋建国
420	宋建国（南朝）
439	北魏による華北統一（北朝）
479	南斉建国
502	梁建国
534	北魏が東西に分裂

57	倭奴国王が後漢に遣使
107	倭国、後漢に遣使
147	倭国大乱（～189）
239	卑弥呼が魏に遣使
?	ヤマト朝廷による国土統一
391	倭が高句麗と戦う
413	倭が東晋に遣使
421	倭王「讃」が宋に遣使
438	倭王「珍」が宋に遣使
443	倭王「済」が宋に遣使
462	倭王「興」が宋に遣使
478	倭王「武」が宋に遣使
527	磐井の乱

4

ヨーロッパと
イスラム

フランク王国誕生が持つ意味

かつて西ローマ帝国だったいまの西ヨーロッパにあたる地域はどうなっただろうか。ゲルマン人が、それぞれの国家を築いたが、なかでも強大な国家に発展したのが、フランク王国だった。

フランク王国の建国は481年とされている。サリー一族メロヴィング家のクローヴィスが、ほかの部族を制圧し、自らの王国を建てた。

508年には、南ガリアにあった西ゴート王国を破り、さらにブルグンド族の王国も併合し、版図を拡大していった。

フランク王国は、東ローマ帝国とは友好関係を保っていた。さらに、クローヴィスはキリスト教アタナシウス派に改宗し、ローマ教会とも密接な関係を築いた。

西ローマ帝国がなくなったため、守ってくれる者がなくなり、ローマ教会は困っていたのだ。

フランク王国はローマ教会から権威を与えられ、ローマ教会はフランク王国に軍事的・政治的な後ろ盾となってもらうという関係が成立した。

最盛期を迎えたビザンツ帝国

西ローマ帝国はゲルマン人によって滅ぼされたが、では、東ローマ帝国はどうなったのだろうか。

▶ビザンツ帝国の領土（6世紀）

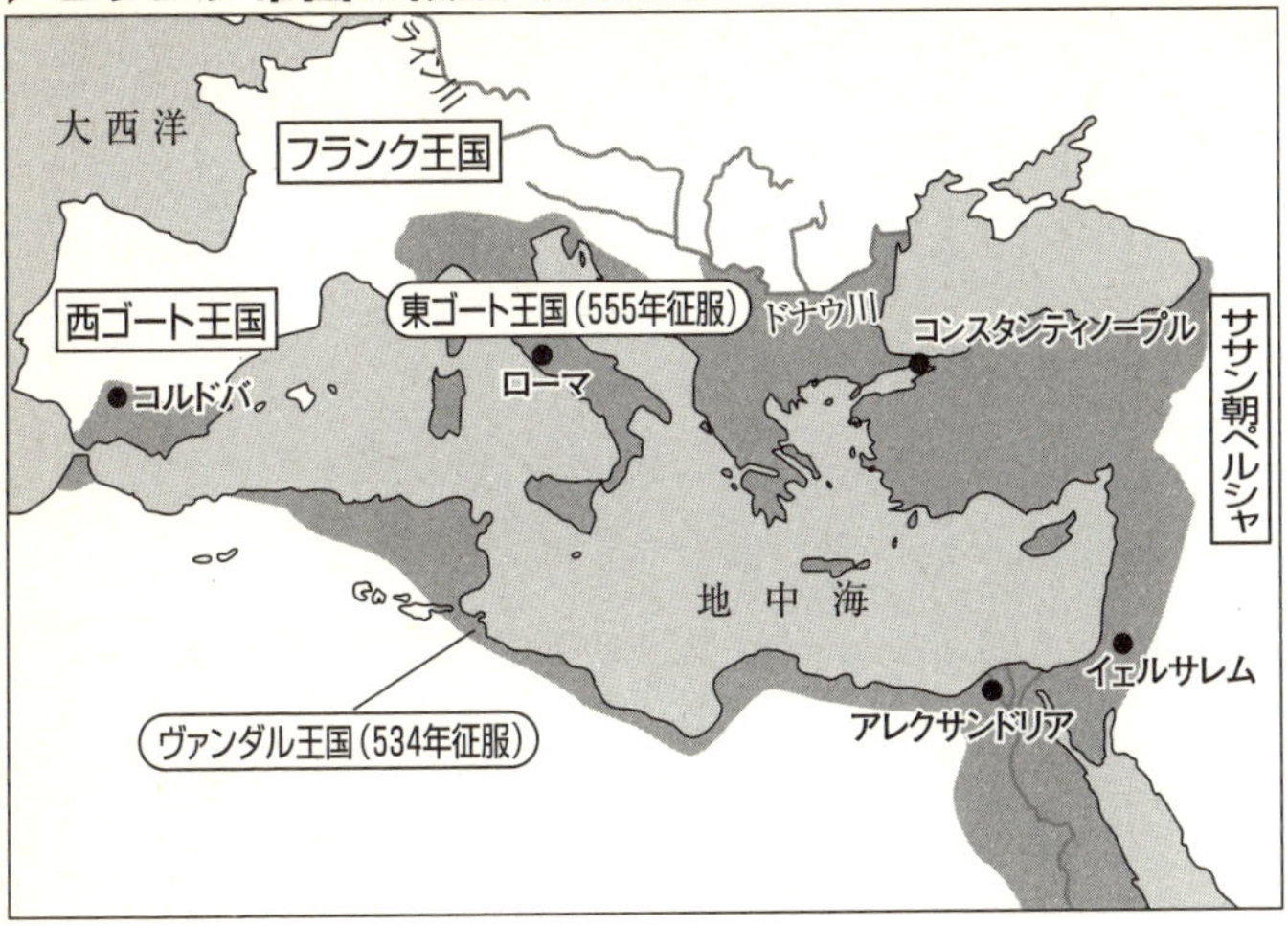

東ローマ帝国の首都はコンスタンティノープルだが、ここはその前はビザンティウムといった。

そのことから、後世ビザンツ帝国と呼ばれるのが一般的なった。これは、古代ローマ帝国と区別するためのようだ。この時代には、ただの「ローマ帝国」と呼ばれていた。

東ローマというのも、後の世の人々が便宜的に呼んでいるに過ぎない。本書では、一般的な呼称であるビザンツ帝国としよう。

ビザンツ帝国は結果的に１４５３年にオスマン帝国に滅ぼされるまで、実に１０００年も続く。

最盛期は6世紀。ユスティニアヌス帝の時代で、５５５年にイタリアを支配していた東ゴート王国を滅ぼすなど、一時はかつてのローマ帝国の領土のほとんどを奪還することができた。

だが、7世紀になると、イスラム勢力の侵攻により、エジプト、シリアを奪われてしまう。キリスト教からみれば、ビザンツ帝国はイスラムの脅威からの防波堤の役割を果たすようになった。

ビザンツ帝国は文化的にも歴史上、大きな位置を占めている。ビザンツ文化は、ギリシャ・ローマの古代からの文化と、オリエント文化とが融合したものだとされている。これは後のイタリア・ルネサンスに影響を与えている。

ムハンマドの生涯とイスラム教

ササン朝ペルシャはローマ帝国を東から脅かす存在として続いた。そして、その支配下にあったアラビア半島の貿易都市メッカに、ある人物が現れ、後の世界史に大きな影響を与えるのである。

570年頃、アラビア半島のメッカでムハンマド（マホメットともいう）が生まれた。名門部族出身というが、父は彼が生まれる前に、母も6歳のときに亡くなった。最初は祖父に、その死後は叔父のもとで育てられた。仏陀のように王家の生まれでもないし、イエスのように幼い頃のエピソードも何もない。

やがて商隊で働くようになり、その過程で富豪の女性と知り合い結婚する。ムハンマドは25歳、その女性は40歳くらいだったという。

610年、すでに40歳になっていた「普通の商人」ムハンマドは、ある日、突然に神の啓示を受ける。その少し前から、瞑想にふけり、山ごもりをするようになっていたのだが、その日、大天使ガブリエルの声を聞くのである。

こうして、ムハンマドは預言者となった。自分でも信じられなかったが、むしろ妻がそれを信じ、友人、親戚らが次々と信者となり、三年ほど過ぎてから、いよいよ本格的な布教活動を始めた。イスラム教の誕生である。

この時代のメッカは多神教信仰が盛んで、さまざまな神の神殿があった。また、商業都市として栄えていたために、貧富の差も拡大していた。

そこにムハンマドは、すべての人は平等であると説き、また偶像崇拝をいさめた。

これにより、既存の宗教との軋轢が起きるようになった。

622年、ムハンマドは、メッカの保守層によって追放され、メッカから北西に400キロほどいったところにある現在のメディナに逃れた。これを「聖遷（ヒジュラ）」といい、この年をイスラム暦では元年とする（このイスラム暦での元旦は西暦の7月16日）。

メディナの地でムハンマドは布教活動をし、ここで教団は大きくなった。これに脅威を感じたメッカの保守層は、ムハンマド打倒の準備を始めた。

624年に始まった戦いは、勝ったり負けたりを繰り返したが、最後はムハンマドが勝った。

630年、ムハンマドはメッカに入城した。彼の軍勢は、多神教の神々の神殿をことごとく破壊した。これをきっかけにアラビア半島の人々は、次々とイスラム教に改宗し、宗教によってアラビア半島は統一された。

632年、ムハンマドは62歳の生涯を終えた。

イスラム帝国はいかに生まれたか

636年、アラブ軍はビザンツ帝国に侵攻しシリアを制圧した。640年にはエジプトを奪取するなど、西に向かって勢力を伸ばしていた。一方、東にも向かい、651年にはササン朝ペルシャを滅亡させた。

こうして、イスラム教徒が支配する勢力は拡大し、一種の帝国となってきたため、「イスラム帝国」と呼ぶことがある。だが、中国の秦以降の帝国やローマ帝国のように、自分たちでそう名乗った国名ではない。歴史学者や政治学者たちが、便宜的にそう呼んでいるだけである。

ムハンマドの後継者は「カリフ」という称号で呼ばれる。

初代カリフは、ムハンマドの妻アーイシャの父（彼には妻が何人もいた）。二代目は妻ハフサの父、三代目は娘の夫、という具合に、ムハンマドに縁のある者から選ばれた。だが四代目をめぐって、内部分裂を起こしてしまう。

661年、第四代カリフ、ムハンマドのいとこで女婿にあたるアリーが暗殺された。代わって、カリフになったのがシリア総督だったウマイヤ家のムアーウィアだった。

この四代までを「正統カリフ時代」という。ムアーウィアはカリフになると、以後、自分のウマイヤ家がカリフの地位を世襲することを決めた。以後はウマイヤ朝時代といい、

▶イスラム帝国（ウマイヤ朝）

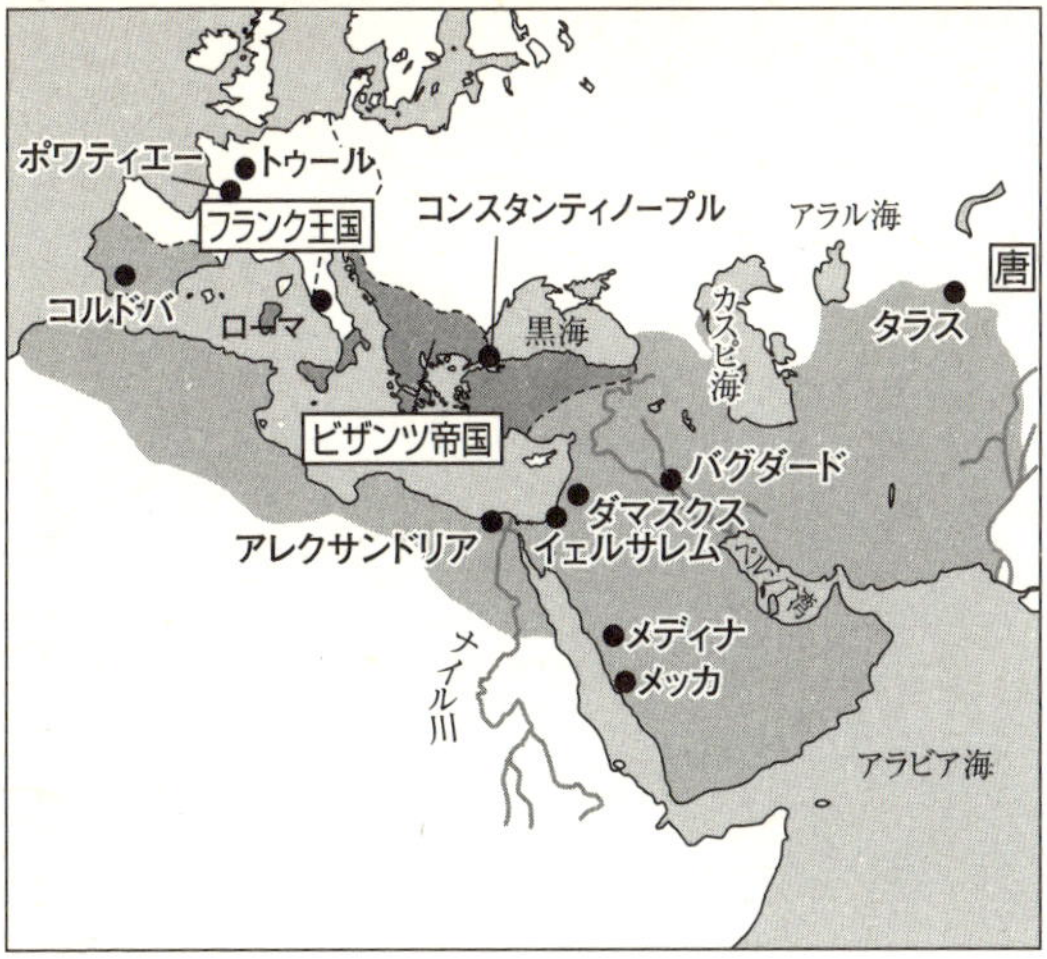

イスラムで最初の世襲王朝となった。

このときに、暗殺された第四代カリフを支持していたのが、「アリーの党派」で、これをシーア派という。彼らは、アリーの子孫にのみ、イスラムを指導する権能は与えられていると考えていた。数では少数派である。

ウマイヤ家を支持する人々は、スンニ派となった。スンニとは「慣行」を意味し、宗教的なことは「預言者の慣行に従う」との考えを持つ。

イスラムの西への侵攻は進み、７１１年には西ゴート王国を征服、さらにフランク王国にも侵攻しようとした。イスラム教とキリスト教の大激突に向かう。

これまでに登場したすべての帝国と同様、大きくなったイスラム帝国は、やがて内部抗争、分裂の時代を迎える。

なぜイスラム社会は発展したのか

すべてのイスラム教徒は平等なはずだったのに、ウマイヤ朝のもとでは、アラブ人以外は税制などで不利な扱いを受けるようになった。当然、不満がたまっていく。

750年、ムハンマドの叔父の子孫、アブー・アルアッバースが、反ウマイヤ勢力をまとめあげ、新たにアッバース朝を起こした。そして、その翌年、ウマイヤ朝を滅ぼし、イスラム世界を支配した。

だが、ウマイヤ朝は完全に滅んだわけではなかった。イベリア半島に逃れ、752年にコルドバを首都に、新たな王国を建てた。これが1031年まで存続する後ウマイヤ朝である。

一方、アッバース朝は762年に二代目カリフのマンスールの時代に、首都をそれまでのダマスクスから、イラクのバクダードに遷し、イラン人（ペルシャ人）を官僚に積極的に登用した。

非アラブ人への差別はなくなり、多くの異民族を吸収し、ある意味で、真のイスラム帝国が完成したといえる。

当時のヨーロッパにできた諸国は、農業国家で、地方分散型だったが、イスラム社会は商業が中心であったことから、貨幣の統一、交通網の整備がなされ、中央集権型の商業中心の国家となった。

多民族が貿易を通して交流し、文化的にもまざりあい、高度な文化へと発展した。この時代、最も先進的だったのが、イスラム帝国なのである。

そのイスラムの首都バグダードは、中国の長安に匹敵する都として栄えた。第五代カリフ、ハールーン・アッラシードの時代が最盛期といわれている。

巨大帝国となっていたので、イラン、シリア、エジプトには総督が置かれ、ある程度の分権がなされていたことから、当然のように、中央の力は弱まり、内部分裂の火種となっていくのである。

運命を決めた フランク王国の分裂

6世紀後半に、フランク王国は、三つの分国に固定された。

そのなかのアウストラシア王家では家臣（宮宰という）だったカロリング家が実権を握るようになっていく。

732年、イスラム軍がピレネー山脈を越えて、フランク王国に侵攻してきた。カロリング家のカール・マルテルが迎え撃ち、勝利した。

単にフランク王国だけでなく、キリスト教社会を救ったことになり、これによって、カールはローマ教会からの支持を得た。

751年、カールの子小ピピンは、主家にあたるメロヴィング王朝を廃し、カロリング王朝を起こした。自らが王となったのである。ローマ教会もこれを認めた。それに応えるかのように、ピピンはローマ教皇に北イタリアを支配していたランゴバルド王国から奪い取ったラヴェンナを寄進、教皇領とした。

800年、すでに代替わりし、ピピンの子

カール大帝が王位についていた。ローマ教皇レオ三世は、ローマの聖ペテロ聖堂で礼拝中のカール大帝を西ローマ皇帝として戴冠した。このことから、彼は「大帝」と呼ばれる。

こうして、フランク王国は西ローマ帝国の継承者となり、現在のヨーロッパ世界の基礎となった。

この世界では、教皇がもつ聖権と、皇帝のもつ俗権との二つの中心が存在するようになった。両者は密接な関係を持ち、互いに協力したり、牽制したり、反目したりと、微妙な関係を数百年にわたり続けるのである。

８１４年のカール大帝の死後、フランク王国はまたも相続争いを始めた。落ち着いたのは、カール大帝の孫の代になってからで、８４３年に結ばれたヴェルダン条約と、８７０年のメルセン条約によって、西・中部・東に分割された。

西フランク王国が、後のフランスとなる。中部フランク王国は後のイタリアで、東フランク王国が現在のドイツにあたる地域である。

西フランク王国は、10世紀にカペー王朝の時代に、「フランス」王国となる。中フランクは、東西のフランクに併合される。

東フランク王国では「王位」は諸侯の選挙で選ばれるようになり、やがてはハプスブルク家が世襲するようになる。９６２年に、オットー1世がイタリア遠征をし、ローマ教皇から、皇帝の冠を授かった。西ローマ帝国が滅んで以来の皇帝の復活である。

やがて、かつての東フランク王国、いまのドイツ、オーストリア、オランダの一部にあたる地域は、神聖ローマ帝国と呼ばれるようになる。

▶フランク王国の分裂（ヴェルダン条約後）

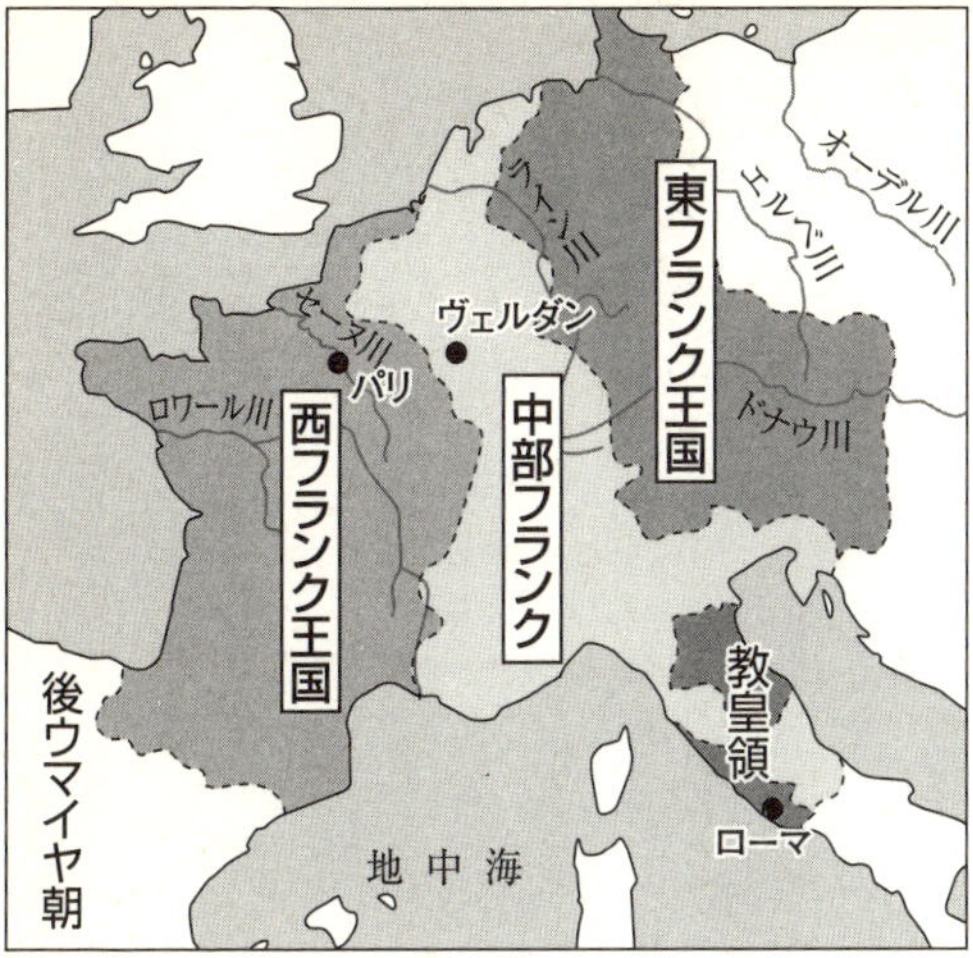

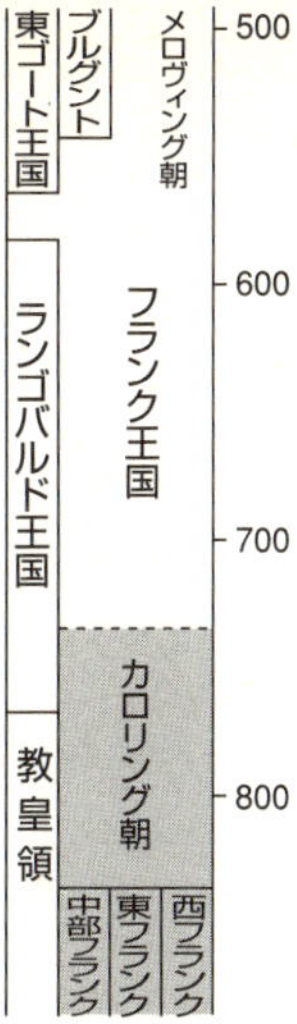

スラブ民族がつくった ロシアの王国

大移動したのはゲルマン民族だけではなかった。東ヨーロッパに暮らしていたスラヴ民族は、1世紀にはドニエプル川上流に達し、黒海沿岸にまで勢力を広げていった。

だが、6世紀になると、東からアジア系の遊牧民が侵攻してきたため、ゲルマン民族のように大移動し、東ヨーロッパやバルカン半島にその勢力圏は広がった。

スラヴ民族は、さらに大きく三つに分かれる。いまのロシア人にあたる東スラヴ族、ポーランド人にあたる西スラヴ族、セルビアやクロアチア人にあたる南スラヴ族である。

862年に、スウェーデン・バイキングの

首長、リューリクによって、現在のサンクトペテルブルクの近くに、ノヴゴロド王国が建てられた。これがロシア最古の国家とされている。

８８2年、そのリューリクの一族のオレーグが、ドニエプル川流域のキエフを占領し、キエフ公国を建てた。その後、周辺のスラヴ系民族を次々と征服していき、キエフ公国は大きくなっていった。さらに、南下を始め、ビザンツ帝国にまで侵攻し、何度か戦ったものの、これは撃退されてしまう。

しかし、ビザンツ帝国との戦いを通じて、さまざまな往来があり、キリスト教文化が伝わった。10世紀末には、ウラディミール１世により、ギリシャ正教が国教になった。

10世紀には、他のスラブ系民族も、ポーランド王国、ボヘミア王国、セルビア王国、クロアチア王国などを建国していった。

イスラム帝国の分裂と「その後」

イスラム帝国は、9世紀に入ると、独立の時代を迎える。

まず、８２１年に、東部イランでターヒルによるターヒル王朝が樹立された。しかし、これは８７３年までしか続かず、サッファール朝にとって代わられる。それを倒すのが、サーマーン朝で、８７5年に樹立され、東部イランを９９9年まで支配した。

エジプトでは、トゥールーン朝が８６8年から９０5年まであったが、シーア派のファーティマ朝がチェニジアから攻め入り、カイロを首都にした。このファーティマ朝は９０

9年から1171年まで続く。969年、エジプトにあったファーティマ朝はカイロを首都とし、自らがカリフであると宣言した。

イベリア半島には後ウマイヤ朝があり、その指導者も自らをカリフと称していたので、アッバース朝のカリフを含めて、3人のカリフが存在していたことになる。

イラン系シーア派の軍事政権が建てたのがブワイフ朝で、946年にバクダードに侵攻し、制圧した。アッバース朝カリフが支配するのは、イラクの一州のみとなった。

1038年、トルコにはセルジューク朝が建てられ、1055年にはバクダードに侵攻し、ブワイフ朝を倒した。この功績から、アッバース朝のカリフから、スルタン（支配者）の称号を与えられた。こうして、イスラム圏の実権はトルコ人が握るようになる。アッバース朝は名目だけのもの、権力に正統性を与える象徴的存在になった。

セルジューク朝は、領土拡大路線をとり、ビザンツ帝国に侵攻し、小アジアを奪い取り、さらに聖地エルサレムを占領した。これが後の十字軍派遣の原因となる。

12世紀に入ると、セルジューク朝も分裂の時代を迎える。1194年をもって、その歴史を終えるのである。

イングランド統一とノルマンディ公国建国

ヨーロッパの北でも、動きがあった。

いまの北欧三国、デンマーク、スウェーデン、ノルウェーに、ゲルマン民族のなかのノルマン人が住むようになるのは、9世紀から

11世紀にかけてである。

このノルマン人の別名が、バイキング、つまり海賊である。彼らは航海術に秀でており、略奪によって、富を得ていった。コロンブスがアメリカ大陸に到達するのよりも500年前の1000年前後にはバイキングがアメリカに到達していたという説もある。

8世紀にはデンマーク王国が建国され、現在のロシアに862年にはノヴゴロド国ができ、882年にキエフ公国になる。さらに、900年頃にはノルウェー王国が、955年にはスウェーデン王国もできている。

911年、西フランク王国に攻め入ったノルマン人は、制圧した北フランスを領有することを認められ、ノルマンディ公国を建国した。

一方、現在のイギリス、つまりイングランド島が歴史に登場するのは、449年、ゲルマンのアングロ部族・サクソン部族が侵攻する頃からである。先住民についてはよく分かっていない。アングロ・サクソン族はこの地に定着し、829年には、七つの小さな王国ができていた。

そこに、ノルマン人の一派、デーン人が来襲した。七王国はバラバラに戦ったのでは勝てないと、結束することになった。だが、デーン人は強く、ついに征服されてしまい、1016年、イングランドにはデーン王朝が建てられる。

さらに、1066年、フランスにできたノルマンディ公国のウィリアム1世は、イングランド島を攻め、征服した。

こうして、イングランドには、新たにフランスのノルマン朝が建国された。

イギリスとフランスとは、複雑な関係になっていくのである。

キリスト教会が東西に分かれるまで

ローマ帝国と同様、教会も東西に分裂し、やがて対立する。

対立の原因は、726年に東のビザンツ皇帝が聖像崇拝禁止令を出したことにあった。ローマ教会はゲルマン人に布教するにあたり、キリストや聖母マリアの像を用いていたのだが、これをビザンツ皇帝レオン3世が禁止したのである。

その背景には偶像崇拝を禁止するイスラム教の影響があった。

だが、ローマ教会はこれを拒絶。この事件をきっかけに、ローマ教会は東西に分裂していく。

1054年に、コンスタンティノープルを総本山としていたビザンツ帝国の教会はギリシャ正教会となった。

東方教会ともいうが、ビザンツ帝国皇帝の下に大司教が従属する体制が出来上がった。後にスラブ諸民族、ロシア人が信仰するようになっていく。

ビザンツ帝国では、帝国の皇帝と正教会のトップの教皇とは同じであり、これを皇帝教皇主義という。

一方、西のローマ・カトリック教会は、あくまで信仰上の最高権威であり、国王たちが「世俗権力」を持つという存在だった。権威と権力とが分離していたのである。その世俗権力のなかで最大の力をもつようになったのが、神聖ローマ帝国（いまのドイツ）だった。

ローマ・カトリック教会は、教皇をトップに、大司教、司教、司祭というピラミッド型の組織を築いていった。その教会と世俗権力が結びつくようになったのは、さかのぼれば、７５６年にフランク王国のピピンが教皇に土地を寄進してからだった。これを見て、他の王や諸侯たちも、教会に土地を寄進するようになり、各地に教皇領が生まれた。

聖職者たちは地主にもなったわけで、当然、俗化する。そこに腐敗と堕落が生まれるのは時間の問題だった。聖職の座が売買されるようになっていった。

こうした教会の堕落を糾弾する勢力が生まれた。修道院である。

修道院とは、「祈れ、働け」の精神に基づいて集団生活を行なうための組織である。５２９年にベネディクトゥスが設立したのが最初だった。

９１０年、フランスにクリニュー修道院が設立された。ここを中心に、堕落した教会に対する粛清運動が起きた。聖職者には厳格な戒律が求められ、聖職売買は禁止、教会の世俗権力からの独立を訴えた。この運動は支持され、やがて、１０７３年にはクリニュー修道院出身のグレゴリウス７世がローマ教皇になった。

カノッサの屈辱とは何か

ローマ教皇グレゴリウス7世は、世俗権力のトップに立つ神聖ローマ帝国のハインリヒ4世と対立した。皇帝に、司教や修道院長の任命権があるのはおかしい、それらは教皇が持つべき権利であると主張し、皇帝ハインリヒ4世を破門にしてしまった。

これに、帝国内の反皇帝派が便乗し、ローマ教会から破門された者を皇帝にしておくわけにはいかない、一年以内に破門が解けなければ、皇帝を廃位すると決議した。

ハインリヒ4世は何とかして破門を解いてもらわなければならなくなった。1077年、追い詰められたハインリヒ4世は、教皇グレゴリウス7世がいる北部イタリアのカノッサ城に向かった。

季節は冬で雪が降っていた。皇帝が3日にわたり裸足になって謝罪すると、ようやく破門が解かれた。

これが、「カノッサの屈辱」と呼ばれる事件である。ローマ教皇が神聖ローマ帝国皇帝よりも権威を持っていることを見せつけた。

しかし、ハインリヒ4世も、このまま引き下がりはしなかった。帝国内の反対派を制圧すると、屈辱を晴らすために、大軍を率いて、ローマに向かい、宿敵であるグレゴリウス7世を退位に追い込んだ。

聖職者の叙任権をめぐる、皇帝と教皇との対立はその後も続いた。教皇を支持するために、各地の教会は結束し、結果的にはローマ・カトリック教会の組織力を強くすることになった。

ヨーロッパとイスラム、対立の原点——十字軍

中世のヨーロッパ社会は農業生産力も高まり、人口も増え、それなりに安定した社会に

なっていった。生活にゆとりのできた人々は、神へ感謝しなければという思いもあり、信仰熱心になっていく。

そんな人々のあいだでは、ローマやイェルサレムに巡礼に行くのが、一種のブームになっていった。

その聖地、イエス・キリストが誕生した地であるイェルサレムが、イスラム教徒によって奪われてしまったのは、１０７１年のことだった。

ローマ・カトリック教会が粛清運動で揺れているころである。

イェルサレムを占領したのは、セルジュークト朝・トルコだった。彼らは、キリスト教徒の巡礼団を妨害・迫害した。

ビザンツ帝国皇帝は、北イタリアで開かれていた公会議に使者を派遣し、イスラム教徒によって巡礼が妨害され、キリスト教徒は悲惨な目にあっていると報告した。これは嘘ではないが、かなり誇張した内容だった。

しかし、これを受けて、１０９５年11月、南フランスで開かれたクレルモン公会議で、教皇ウルバヌス2世は、聖地イェルサレム奪還を決議した。この戦いに参加すれば、俗世での罪は許されるとして、すべてのキリスト教徒に戦いへの参加を呼びかけたのである。

この呼びかけは当初の予想をこえて、多くの人々の支持を受け、6万人もの兵が集まった。１０９6年8月、南フランスに結集した兵は出発した。

胸にキリスト教のシンボルである十字を刺繍していたことから、この軍は、十字軍とよばれるのである。

第一回十字軍は、フランスの諸侯が中心だ

▶十字軍

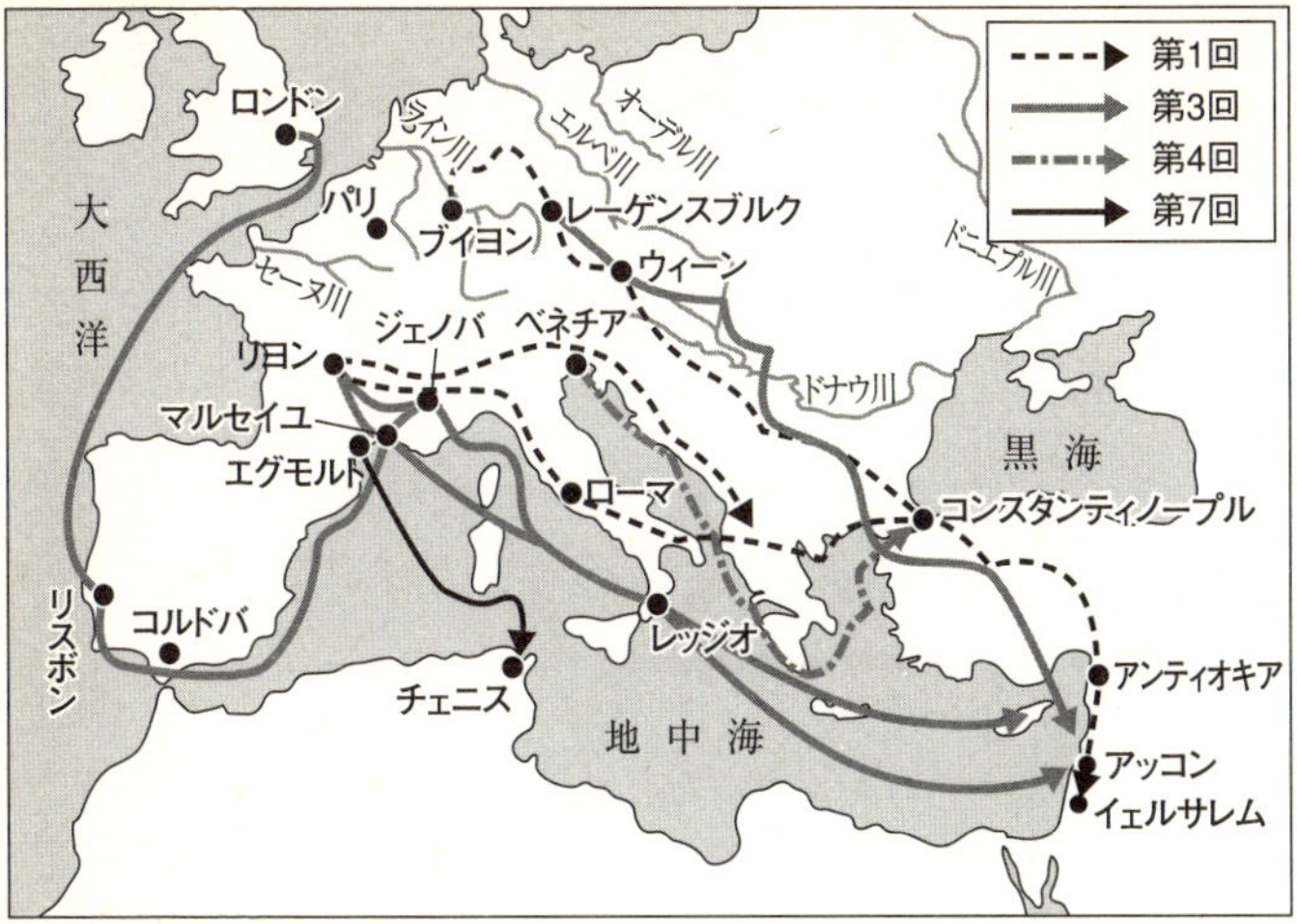

った。ドイツの諸侯は、カノッサの屈辱のわだかまりがあったので、あまり参加しなかったのだ。１０９８年に十字軍はイェルサレムに到着した。

イスラム教徒たちは、聖地巡礼団が来たのだと思い、道案内をしたり、食料までくれるなど、歓迎してくれた。

ビザンツ帝国皇帝の報告とは異なり、実際のイェルサレムでは、イスラム教徒、ユダヤ教徒、キリスト教徒が仲良く共存していたのである。

しかし、十字軍は、聖地に着くと、武力を行使し、イスラム教徒、ユダヤ教徒を虐殺しまくった。

１０９９年、第一回十字軍により、イェルサレム王国が建国され、ここに聖地は完全にキリスト教のものになったのである。

逆襲に転じたイスラム

十字軍は勝利したが、イスラム勢力はそのまま黙ってはいなかった。イェルサレムで大虐殺されたことにより、イスラム教徒にとっても、イェルサレムは重要な土地となったのである。

１１７８年、エジプトのスルタンであるサラディンは、イェルサレムに進軍し、十字軍が建てたイェルサレム王国を滅ぼした。

十字軍は、１０９６年の第一回から、数え方にもよるが、一般には、１２７０年の第七回まで遠征に出た。だが、当初の目的だったイェルサレム奪還は結果的には果たせず、失敗に終わった。

そのなかでも、１２１２年の少年十字軍は最も悲惨な結果となった。すでに十字軍運動は行き詰っていたのだが、それは汚れた心の大人が行くからで、純真な少年たちが行けば成功するだろうとの考えで、少年たちによる十字軍が編成された。だが、イェルサレムに着く前に悪徳商人によって奴隷としてアフリカに売られてしまったのだ。

では、十字軍は歴史上、何も生まなかったのだろうか。戦争という形ではあったが、ヨーロッパとイスラム圏とが出会ったことは、東西文化の交流になった。西欧社会は、ビザンツ帝国とそのさらに東のイスラム都市文明の先進性を知り、よいところは取り入れようとした。

交通網も発達した。商人の行き来が盛んになり、商品とともに、技術や文化も交換されたのである。

商人は、交易の拠点としての都市を建設した。イスラム圏で見た、城壁のある町づくりから学び、農村地域とは区別する都市空間が作られた。

城壁のなかに数千人の商人と職人が暮らすようになり、彼らはやがて領主から自治権を獲得する。こうして、とくにイタリアで都市国家がいくつもできるようになった。これが、後のルネサンスを生む背景となる。

北のドイツでは、百近くの都市が連帯するようになり、ハンザ同盟が作られた。

議会制民主主義の第一歩 ——マグナ・カルタ

こんにち、民主主義の元祖的存在として、日本の政治・行政のお手本とされることの多いイギリスだが、その始まりは、1215年のマグナ・カルタ（大憲章）の制定にある。

イングランドに、南フランスの領主だったノルマンディ公ウィリアムが攻め入ったのは、1066年のことで、アングロ・サクソン連合軍を倒し、ノルマンディ王朝を建国した。

これによって、イングランドとフランスは複雑な関係になった。ノルマンディ公はフランスに臣従していた。その人物が、イングランド王になったので、一見、フランスの領土が広がったように思える。だが、イングランドの側から見ると、フランスのなかのノルマンディ公の領地が、イングランドのものになったことを意味していた。

1154年、事態はさらに複雑になった。フランスのアンジュー伯がイングランドに渡り、新たな王朝、プランタジネット朝を開くのである。アンジュー伯は王になりヘンリー2世と呼ばれるようになった。

ヘンリー2世は、フランスの西半分を支配する、フランス最大の貴族だったので、フランスにおけるイングランドの領土は拡大した。

当然、フランス王としてはおもしろくない。1199年にプランタジネット朝三代目の王にジョンが就くと、フランスのカペー王朝のフィリップ2世は英領奪還に挑んだ。英仏は1203年には全面戦争に突入し、1214年まで戦った、多くの戦いはすべてフランスが勝った。こうして、ノルマンディ公の領地や、アンジュー伯の領地のかなりの部分が、フランスのものになった。

ジョン王は、英国史上、最悪の君主といわれており、さらに失政を続けた。1208年には空位となっていたカンタベリー大司教の任命をめぐって、ローマ教皇インノケンティウス3世と争い、これに負けて破門されてしまった。1213年には教皇に謝罪。そのときの条件は、なんと、イングランド全土を教皇に献上し、それを教皇が国王に与える、というものだった。これが外交面での失政だとしたら、内政としては、課税をめぐり、イングランドの諸侯たちの反発を招いたのである。

貴族たちは、王権を制限しなければ、とんでもないことになると考え、一致団結し、ジョン王に迫り、大憲章（マグナ・カルタ）を認めさせた。これにより、新たに課税するときは、貴族の議会の承認を得なければならないことが定められた。王権はかなり制限されたといっていい。

ジョン王の唯一にして最大の功績が、この

マグナ・カルタの制定なのである。

こうして議会制民主主義への道を歩み始めたイングランドだが、そうすんなりとはいかない。

ジョン王の次のヘンリー3世がマグナ・カルタを無視したので、1258年、貴族のシモン・ド・モンフォールが叛乱を起こした。国王軍はこれを制圧できず、1265年、議会の設置を認めざるをえなくなった。聖職者と貴族だけでなく、各州から二名の騎士と、各自治都市からも二名ずつの代表者を加えて構成される議会が生まれた。これを、モンフォール議会という。

1295年には、さらに、議会のメンバーが拡大し、すべての都市の代表者が参加することになり、「模範議会」と呼ばれるものが召集された。

1343年、議会は聖職者と貴族からなる上院と、州の騎士と都市代表からなる下院に分かれ、いまも続く二院制の原型ができた。

教会の権威失墜がもたらした大きな波紋

十字軍の失敗によって、ローマ・カトリック教会の権威は失墜した。

それ以前から、腐敗と堕落を指摘されていたローマ・カトリック教会に疑問を感じる人々のなかで、清貧と戒律を重んじる教団を独自に起こす動きが出てきた。ワルド派、カタリ派などがそれで、13世紀に入り、ますますこうした教団が大きくなってくると、ローマ教会は厳しい弾圧に乗り出した。彼らを「異端」と決め付け、異端審問を始めたのである。

14世紀には、異端審問はさらに激しくなり、中世が暗黒時代と呼ばれるときの、代表的な出来事である「魔女狩り」に発展する。

教会の権威は異端派の出現によって足元から揺らいでいたが、さらに上のほうでは、教会の権威が失墜するのにあわせて、各地の王権が強くなっていった。

それを象徴するのが、１３０７年のアヴィニョン捕囚である。教皇クレメンス5世とフランス王フィリップ4世は、聖職者への課税をめぐって対立した。その結果、フィリップ4世が勝ち、教皇と教皇庁は南フランスのアヴィニョンに強制的に移転させられ、以後、フランス王の監視下に置かれることになったのである。

これを、紀元前6世紀にユダヤ人がバビロンに捕囚されたのになぞらえて、「教皇のバビロン捕囚」ともいう。

その前の１３０３年には、教皇ボニファテウス8世が、フィリップ4世に捕らえられ、憤死したという事件もあった。

教皇庁のアヴィニョン移転は、１３７７年まで続いた。

フィリップ4世は、ローマ教皇と争った際に、国民の支持を得ようとして、聖職者、貴族、平民の三つの階級の代表者からなる議会、三部会を招集した。これが後のフランス革命への伏線となるのである。

ペスト大流行と教会大分裂

ローマ教皇がアヴィニョンに捕囚されてい

るあいだの１３４８年頃から、ヨーロッパはペストに襲われ、四年から五年のあいだに、三分の一以上の人口が失われたという。

ペストがおさまると、領主たちは損害を補うために、農民の地代を値上げした。これに対して各地で農民叛乱が起きた。それは、身分解放運動へと発展していく。

この時代のヒーローとして知られるロビン・フッドの物語はフィクションではあるが、民衆の身分解放への願望がひとりの英雄に託された物語である。

１３７８年、グレゴリウス11世のときに、教皇はようやくローマに戻ったものの、神聖ローマ帝国皇帝やイングランド王によって、別の教皇がアヴィニョンに立てられた。

これを「教会大分裂（大シスマ）」という。１４０９年には第三の教皇まで生まれる混乱状態となった。この大分裂は１４１７年まで続いた。

１４１７年、神聖ローマ帝国皇帝のハンガリー王ジギムストンが、コンスタンツ公会議で、教皇庁をローマに一本化した。カトリック教会は分裂状態を終えることができたが、皇帝のほうが力を持っていることを、まざまざと思い知らされることになった。

長期間繰り広げられた英仏の激闘
――百年戦争

フランスを支配していたのはカペー朝だったが、イングランド王であるプランタジネット朝がフランス西部を領有していた。フランスとしては、何とかしてこれを奪い取りたい。そうした敵対関係にある一方で、この二つの王朝は長い年月のあいだに、多くの姻戚関係を結んでいたので、かなり複雑な家系図になっている。

１３２８年、シャルル４世が亡くなると、カペー朝は後継者がいないため断絶し、かわって、その傍系だったヴァロア朝が建てられ、フィリップ６世が即位した。

ところが、イングランド王エドワード３世が、これに異議を申し立てた。エドワード３世の母親はカペー家出身だったので、自分にフランス王の資格があるというわけである。

その以前から、羊毛産業の中心となっていたフランスのフランドル地方の領有をめぐって両家は争っていたので、この王位継承問題を口実に、１３３９年、イングランドはフランスに攻め入った。

これが、以後１４５３年まで続く、百年戦争の始まりだった。常にイングランドがフランスに攻め入ったので、戦場になったのはフランスだけだった。１３４６年、１３５６年、１４１５年、１４２９年の戦いが有名で、１４１５年まではすべてイングランドが勝った。

フランスの貴族たちが、イングランド国王を支持する派と、フランス国王派とに二分されたのも、イングランド優位に進んだ理由だった。

「戦争」とはいうものの、この時代の戦争は、いまのように、国家をあげて、国民総動員で戦われるわけではない。イギリスという国家と、フランスという国家の争いではない。近代的な意味での「国家」という概念が生まれる前の出来事であり、貴族同士のケンカのようなものである。イングランドとフランスの王朝は、前述のように姻戚関係にあったの

▶百年戦争の展開

1429年

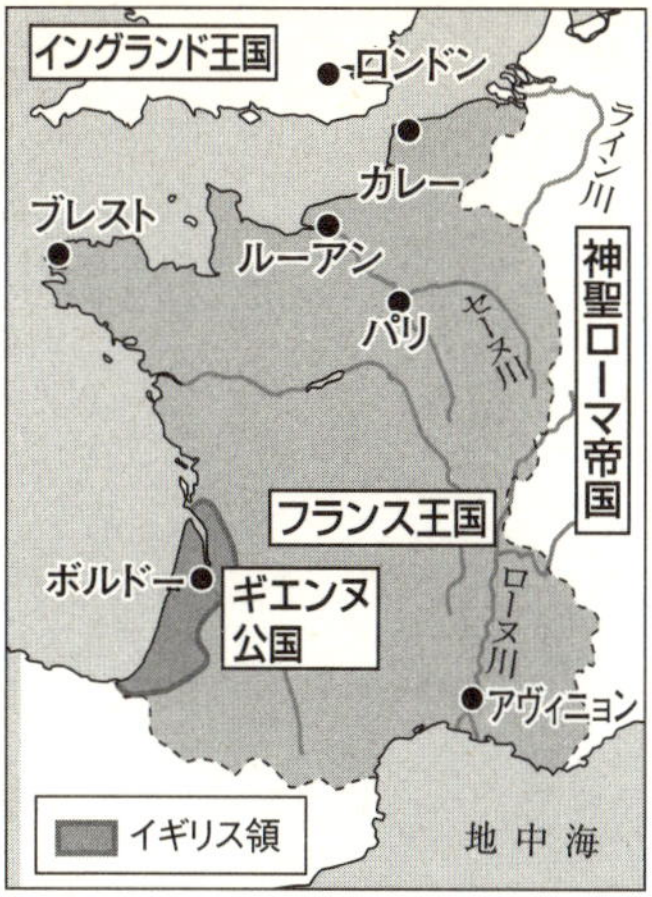

1328年

で、一族内の争いといってもいいぐらいだ。

とはいえ、戦争は戦争である。多くの戦死者が出たし、土地は荒らされた。終始、戦場になったのがフランスだったので、被害はフランスのほうが多い。

いよいよ、イングランドが決定的な勝利を収めるかと思われたのが、１４２９年のことである。だが、ひとりの少女が登場し、フランスを勝利に導くのである。ジャンヌ・ダルクだった。

ジャンヌ・ダルクの登場が祖国の危機を救う

１４１２年、フランスのロレーヌ地方の農家にひとりの女の子が生まれた。それが、後に「オルレアンの少女」と呼ばれる、ジャンヌ・ダルクである。

1415年のアジャンクールの戦いでは、多くの犠牲を出したが、イングランドが勝ち、1420年に優位なかたちで条約を結ぶことができた。その結果、イングランド王ヘンリー5世が、フランス王シャルル6世の娘と結婚し、そのあいだに生まれた子が、シャルル6世の後を継いで、フランス王になることになった。つまり、その子は、フランスとイングランドの二つの王国を支配することになる。

1422年、フランスのシャルル6世が亡くなると、条約に従い、イングランド王ヘンリー6世が、フランス王になった。だが、ヘンリー6世はまだ生後9ヵ月の幼児で、フランスに来て、正式な戴冠式に臨むことができなかった。そのため、フランスは王位空白の状態に陥った。

一方、亡くなったシャルル6世には息子のシャルルがいた。皇太子でありながら、条約があるため、父の死後、王位に就けないまま、オルレアンにいた。しかし、その地もイングランド軍に包囲され、敗北は間近と思われていた。

そんな背景のもと、1425年、ジャンヌは大天使ミカエルの「声」を聞く。「フランスを救え」と神託を受けたのである。ジャンヌはフランス軍に加わり、1429年、ついにシャルルと対面し、フランス王として即位するように言った。

ジャンヌは義勇軍を組織すると、自らも甲冑に身を包み、白馬にまたがって戦った。シャルルやその軍勢は、この戦う少女の姿に感動し士気が高まり、しだいに形勢はフランス優位になっていく。オルレアンではイングランドの包囲網を破ることができ、シャルルはランスで戴冠式をあげ、正式にフランス王に即位した。

しかし、1431年、ジャンヌはイングランド軍に捕らえられ、宗教裁判の末、異端者であるとして火刑に処されてしまった。彼女が大天使ミカエルの声を聞いたと言ったことが、異端だとされたのだ。わずか19年の生涯だった。

しかし、彼女の死を乗り越え、フランス人はその後も果敢に戦いつづけた。

1453年、イングランド軍は、ドーバー海峡に面したカレーだけを残し、ついにフランスから撤退した。ここに、百年戦争は終結したのである。

ジャンヌが、異端者ではないとされるのは、1456年のことだった。シャルル7世が宗教裁判がどのように行なわれたか調査させ、その結果を受けて、ローマ教皇は裁判のやり直しを命じた。その結果、異端者ではないとされたのだ。そして20世紀になってからの1920年には、ローマ教皇から「聖人」であると認められる。

王位継承をめぐる貴族たちの対立
――バラ戦争

百年戦争によって、イングランドはフランスにあった領地のほとんどを失った。

百年戦争を通して、最も弱体化したのが、騎士という存在だった。この戦争ではイスラム社会からもたらされた火薬と鉄砲が主流となり、昔ながらの騎士は、時代遅れの存在になっていたのだ。さらに、農民たちも、自立意識が高まってきたので、領主である騎士に解放を求めた。こうして、騎士階級は没落した。

勝ったフランスでも、事情は似ていた。官僚制と常備軍の整備が進んで、中世社会の基本的な統治形態だった封建社会は崩壊していく。

それに代わり、それまで諸侯のなかの盟主的存在だった国王の力が強まっていった。王の下で中央集権が進んだ。絶対王政の始まりである。

百年戦争が終わると、イギリスは、１４５5年から85年までの30年間にわたる長い王位継承争いの時代となった。赤いバラを紋章とするランカスター家と、白いバラを紋章とするヨーク家の間での争いだったので、「バラ戦争」と呼ばれている。

最後に勝ったのは、ランカスター派のデューク家のヘンリー七世だった。ここに新たにテューダー朝が建てられ、イングランドでもフランス同様に王権が強化されていく。

神聖ローマ帝国の世襲化とハプスブルク家

神聖ローマ帝国の皇帝の座は、当初は選挙で選ばれていた。といっても、帝国内のすべての人々が投票する、いまのような選挙ではない。

帝国というと、強権的な中央集権国家のようだが、神聖ローマ帝国は、３００近い小さな国に分かれていて、それぞれに領主がいた。公、地方伯、辺境伯などを諸侯といい、それらの領地を諸侯領といった。そのほかに、ボヘミア、イタリアなどの王国も、帝国の一部だった。

それぞれの王位や諸侯の地位は世襲だったが、その諸侯の有力者のなかから、まず「ドイツ国王」が選ばれる。その選挙権を持つ諸侯のことを「選帝侯」といい、七人いた。

選帝侯たちによって選ばれたドイツ国王が、ローマ教皇から帝冠を授けられ、皇帝になるというシステムだった。

このドイツ国王にして神聖ローマ帝国皇帝の座を、ハプスブルク家が事実上世襲していくようになる。

ハプスブルク家のルーツは、ライン川上流にある。1273年にルドルフ1世がドイツ国王に選出されてから、歴史の表舞台に登場する。

1278年、ルドルフ1世はボヘミア王オットカール2世をマルヒフェルトで倒し、その領地だったオーストリアを息子アルブレヒト1世に与えた。だが、このアルブレヒト1世は1308年に暗殺されてしまう。

こうしてせっかく得た皇帝の座を失うが、その後オーストリア公（後に大公、さらに国王、皇帝となる）として、帝国内で勢力を広げていった。

1438年、アルブレヒト2世がドイツ王になると、その座は、事実上、ハプスブルク家の世襲となった。

地中海の新しい覇者——オスマン帝国

1299年、小アジア北部にトルコ民族の国家、オスマン帝国（オスマン・トルコ帝国

▶オスマン帝国（スレイマン1世の時代）

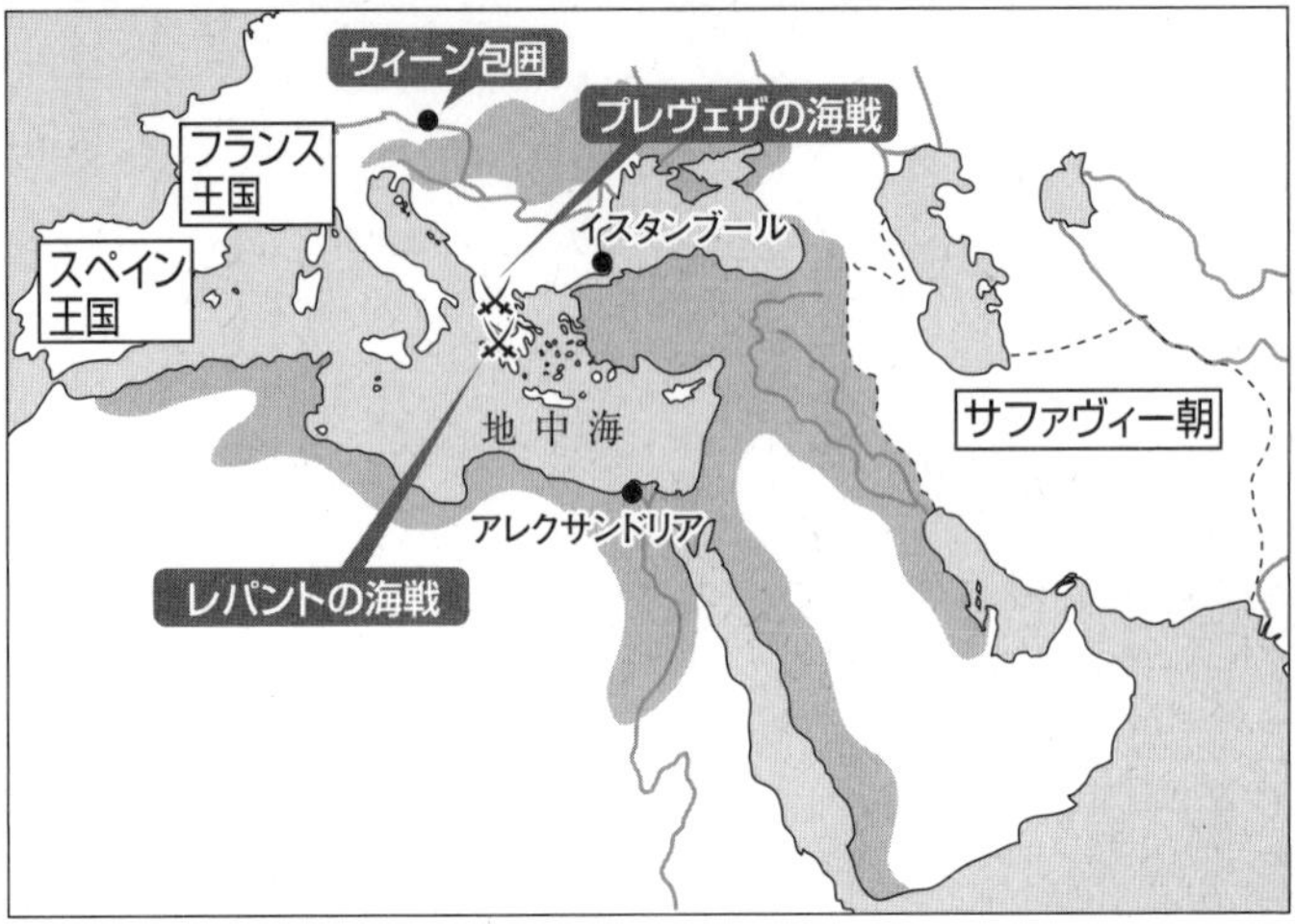

ともいう）が誕生した。

１４５３年、大国となったオスマン帝国は小アジアで勢力を伸ばし、ついにビザンツ帝国を攻めた。コンスタンティノープルは陥落し、ビザンツ帝国は滅びた。首都はイスタンブールと名を変えられ、現在にいたる。

オスマン帝国の最盛期は、スレイマン１世の時代で倒し、イラク南部、北アフリカにまで領土は広がり、さらに、ヨーロッパに侵攻し、ハンガリーも手に入れた。

１５２９年、神聖ローマ帝国の首都であるウィーンにまでオスマン帝国軍が攻め、包囲した。

さらに、１５３８年にはスペインとヴェネツィアの連合艦隊を破り、地中海も手に入れた。

だが、17世紀になると、衰退しはじめた。

5
日本と中国 II

乱世の末に登場した新たな支配者
——隋

北魏が東西に分裂した際に、西魏の十二大将軍のひとりだった軍人の孫にあたるのが、後の隋の初代皇帝、楊堅《ようけん》である。

578年、北周の武《ぶ》帝が急死し、宇文贇《うぶんいん》が皇帝となった（宣帝）。その后が楊堅の娘だったので、彼は外戚となった。若い皇帝は政務にまったく関心を寄せず、翌年、七歳の子に帝位を譲った。楊堅は皇帝の後見人となり、権力を掌握した。

581年、孫にあたる静《せい》帝から譲り受けるかたちで、楊堅は皇帝に即位した（文《ぶん》帝）。それとともに、国名を隋とし、ここに、隋王朝が建国された。「遣隋使」で、日本人にもなじみのある王朝である。

隋は、華北を統一していた北周を乗っ取り、その版図をそのまま引き継いだ。だが、南にはまだ陳《ちん》があった。

589年、隋は南征に出た。陳はあっけなく倒れ、ここに三百年に及ぶ南北分裂の時代は終わった。

中国に久しぶりの統一帝国が出現した。文帝は、荒廃した国土の再建に全力を注いだ。各地に創設されていた私設軍隊に武装解除させ、兵士を自作農として定着させた。一方で、北方の備えの万里の長城の修復を始め、また、運河の拡張による交通・流通網の整備に着手した。

これまで官僚に起用されていたのは、皇帝と同姓の一族や貴族だったが、それを廃し、公平な学力試験によって有能な人材を登用することにし、科挙《かきょ》制度が創設された。これにより、旧南出身者にも出世の道が開いたが、同時に、いわゆる「受験戦争」を生んだ。

なぜ隋は三代で滅亡したのか
——唐

604年、隋の文帝が亡くなった。後継者候補の息子は二人いたが、弟が謀略によって兄を廃嫡に追い込み、皇帝の座を継いだ。煬《よう》帝《だい》と呼ばれる、中国史上最大の暴君である。

暴君とされたのは、あまりに大規模な公共事業をやりすぎ、国家財政が破綻し、重税をかけたからである。

もっとも、このときに作られた全長2000キロに及ぶ大運河の運河のおかげで、中国の交通・流通は飛躍的に便利になった。だが、そうした評価は後の世でのことで、奴隷同然の労働条件で働かされた庶民には恨まれた。女性、子どもも含む500万の人々が駆り出された。戦争も多かった。高句麗に三度にわたり侵攻しながらも、失敗した。

このように民の暮らしを圧迫しながらも、自分は豪奢な生活を送っていたことも、反感を買った。

617年、黄河氾濫をきっかけに、農民動乱が勃発。北方に拠点をもつ軍閥・李淵《りえん》が叛乱軍を指揮し、長安を占拠すると、煬帝は退位して南に逃げた。ちなみに、日本の聖徳太子が「日出ずる処の天子…」という手紙を送った中国の皇帝は、この煬帝である。

煬帝が帝位を捨てて逃げると、孫にあたる恭帝《きょうてい》が6歳で皇帝になった。叛乱軍のリーダーの李淵が摂政となり、帝位を譲るよう迫り、ここに隋王朝は文帝から数えて三代、三八年で終わった。

新たに唐《とう》帝国が生まれ、李淵は皇帝（高祖《こうそ》）にはなった。しかし、内乱は続いていた。唐による中国全土の鎮圧がなされたのは623年である。

英雄色を好むという言葉があるが、唐の高祖となった李淵も例外ではない。確実に分かっているだけで、男二二人、女一九人も子がいたという。当然のように、兄弟間で後継者争いが起こり、長男と次男とが骨肉の争いをした。

仏教の伝来が大和朝廷に与えた影響とは

中国から日本には、さまざまな文化が伝えられたが、そのなかでも最も大きな影響を与えたのが、仏教の伝来だった。欽明《きんめい》天皇の時代、538年というのが公式な仏教伝来の年だが、それ以前から、渡来人のあいだでは信仰されていたらしい。

日本古来の宗教は、神道である。これは、氏神信仰で、それぞれの祖先を祀るものだった。一方、仏教は仏を祀るわけで、それぞれの祖先を祀るものではない。

ちょうどローマでキリスト教が国教化されていくのと同じように、中央集権国家をつくるには、それぞれの部族、家族ごとに神様がいるよりも、ひとつの絶対的な神がいたほうが都合がいい。

そう考えて、仏教を積極的に導入しようとしたのが、蘇我《そが》氏だった。

一方、大和朝廷を、あくまで豪族の連合体

でいくべきと考える物部《もののべ》氏は、仏教反対の立場をとった。

　こうして、仏教伝来を契機に、大和朝廷内部での対立が生じたのである。

　その対立は、587年に蘇我氏が物部氏を武力で滅ぼしたことで、一応の決着をえた。

聖徳太子の本当の業績とは

　聖徳太子は推古《すいこ》天皇の甥にあたり、摂政として、実質的な国政の責任を担っていた。妻が蘇我馬子《うまこ》の娘であることから分かるように、蘇我氏のとつながりが深かった。

　聖徳太子の業績として有名なのが、603年の冠位十二階の制定。それまで世襲だった、朝廷での役職や地位を、功績と能力に応じて個人に与えるものだった。

　もうひとつが、604年に制定された十七条憲法である。「和を以って尊しと成す」などが有名だ。日本最古の成文法として知られている。

　中国との関係では、前述のように、小野妹子《おののいもこ》を遣隋使として送り、そのときに「日出るところの天子、書を日没するところの天子に致す」という文面の手紙を書き、中国の隋の皇帝、煬帝を激怒させた。

大化の改新は日本をどう変えたか

　621年に聖徳太子が亡くなり、推古天皇も次の天皇を決めずに亡くなったので、朝廷内で強い勢力をほこっていた蘇我氏一族が、

文明の誕生
ギリシャ・ローマ
日本と中国 I
ヨーロッパとイスラム
日本と中国 II
ヨーロッパの展開
日本と中国 III
激動する世界

舒明《じょめい》天皇を推して即位させた。聖徳太子と蘇我氏とは関係が深かったが、聖徳太子が亡くなり、蘇我氏も蝦夷《えみし》から入鹿《いるか》の代になると、聖徳太子の一族と対立するようになっていった。

舒明天皇が亡くなるとその妃が即位し、皇極《こうぎょく》天皇となった。

なお、日本の歴代天皇の名は、中国の皇帝にならい、死後におくられるもので、生前にそう呼ばれたわけではない。

６４３年、蘇我氏は、聖徳太子の子にあたる山背大兄王《やましろのおおえのおう》を殺した。権力基盤の強化を狙ったのである。

だが、皇族や豪族から反感を買うことになり、反蘇我氏の気運が高まるようになっていった。

６４５年、舒明天皇と皇極天皇の子である中大兄皇子《なかのおおえのおうじ》は、これ以上蘇我氏の力が強まることを恐れ、中臣鎌足《なかとみのかまたり》と手を組み、蘇我氏一族の長である蘇我入鹿を暗殺、入鹿の父の蝦夷を自殺に追い込んだ。このクーデターを「大化の改新」という。

これにより、蘇我氏一族の勢力は朝廷から一掃された。この年、日本で最初の元号が制定され、大化元年となった。

大化の改新の直後、皇極天皇は退位し、弟の孝徳《こうとく》天皇に譲位した。中大兄皇子は皇太子となり、実権を握るのである。

６４６年に出された「改新の詔」では、土地と人民は、豪族に帰属するのではなく、天皇に帰属するという、「公地公民の制」が導入され、「租庸調《そようちょう》」からなる税制も完備された。徴税のために、戸籍、耕地の調査、地方の行政区画の整備といった、中央集権化のた

▶蘇我氏系図

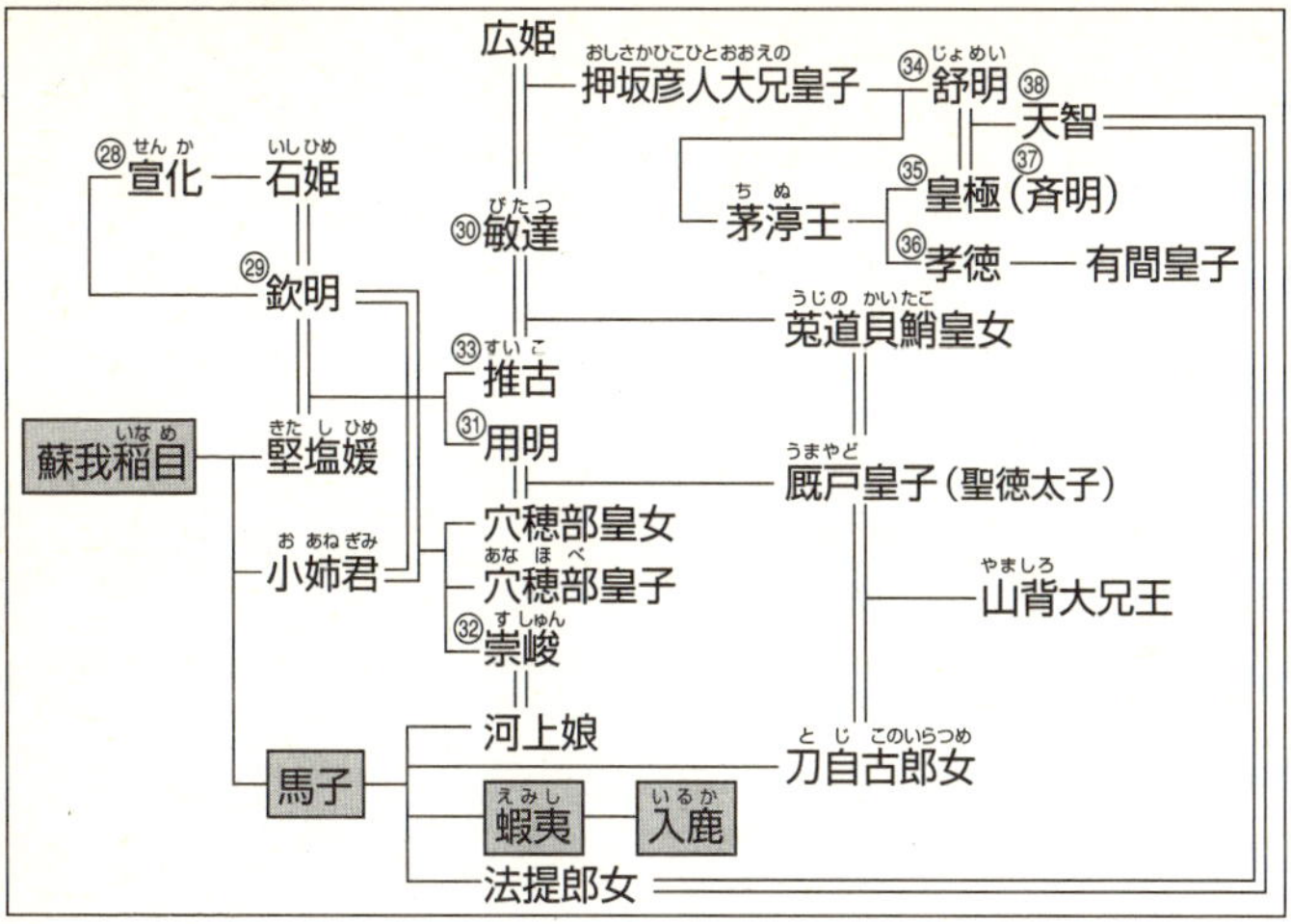

めの政策が打ち出された。これらは中国の体制を真似したものだった。

また「日本」という国名も、このころから使われていたらしい。

古代日本を揺るがした二つの大事件

653年、孝徳天皇と中大兄皇子の関係は悪化し、皇子は天皇を無視して難波にあった都を飛鳥に移した。天皇はその翌年に崩御した。一説によれば、中大兄皇子は、天皇に即位すると自由がきかないと考え、皇太子の地位にとどまるため、母である皇極天皇を再び天皇に即位させた。斉明《さいめい》天皇である。

658年、中大兄皇子は、孝徳天皇の子で、皇位継承権を持つ有馬皇子《ありまのみこ》を罠にかけ、謀反の疑いがあるとして処刑してしまった。こうして、中大兄皇子の権力基盤は強固になった。

一方、660年に朝鮮半島では、唐と新羅《しらぎ》の連合軍の前に百済が滅亡した。百済と関係の深い大和朝廷は、百済再興のために出兵したが、663年の白村江《はくすきのえ》の戦いで大敗した。その間に、斉明天皇が病死した。

667年、都を近江に移し、その地に大津宮を造営し、中大兄皇子はようやく天皇に即位した。天智《てんじ》天皇である。弟の大海人皇子《おおあまのおうじ》を皇太弟とした。

671年の終わり、天智天皇は病死した。その息子の大友皇子《おおとものおうじ》と、叔父の大海人皇子は対立を深めていった。

大海人皇子は672年になると、吉野を出て挙兵した。この年が「壬申」の年にあたることから、これを壬申の乱という。

一か月あまりの戦闘のすえ、叔父と甥の戦いは大海人皇子が勝利し、大海人皇子は天武《てんむ》天皇となった。

この天武天皇の時代から律令制国家となる。天皇の力は強化され、かつて豪族の連合体として始まった大和朝廷は、この時代になって、変質したのである。

豪族たちは官僚として、天皇に仕える身分となった。

「古事記」「日本書紀」の編纂が始まるのも、天武天皇の時代である。中国を真似して、法律にあたる「律令」も制定された。

平城京への遷都がなされるまでの経緯

686年に天武天皇は亡くなり、その皇后

が、持統《じとう》天皇として即位したのは、６９０年だった。６９４年に、奈良に藤原京を建設し、遷都した。

６９４年に、孫にあたる文武《もんむ》天皇が即位すると、持統天皇は上皇となった。

７０１年には大宝律令が制定され、律令国家が確立された。全国が、五畿七道に区分された。このときの「道」は、東海道、山陰道、山陽道など、いまも残っている。これらの道はさらに、国・郡《こおり》・里に細分化され、地方行政官が置かれた。

文武天皇は７０７年に若くして亡くなり、その母が元明《げんめい》天皇として即位した。この時代は女帝が多いのである。

こうして、天武天皇以降、強い天皇がいなくなるあいだに力をつけてきたのが、藤原氏だった。中臣鎌足が亡くなる前日に「藤原」の姓を賜っていた。その鎌足の子の藤原不比《ふひ》等《と》は右大臣になり、政治の実権を握った。

７１０年、藤原京が人口増加のために狭くなったので、新しい都、平城京に遷都した。

７１２年、天武天皇の時代から着手されていた「古事記」が完成。さらに、７２０年には「日本書紀」も完成した。

権力をめぐる謀略、叛乱事件の数々

藤原不比等は娘を皇后にし、天皇の外戚になることで、権力を掌握した。不比等の死後は、四人の息子が後を継いだ。

７２４年、聖武《しょうむ》天皇が即位した。その妃は不比等の娘の光明子《こうみょうし》だったが、彼女は皇族出身ではないため、皇后にはなれなかった。

藤原四兄弟が強引に光明子を皇后にしようとすると、皇族のひとり長屋王《ながやおう》が反対した。そこで、藤原一族は長屋王を謀略にはめ、謀反の疑いがあるとして自殺に追い込んだ。その半年後に光明子は皇后となった。

こうして敵のいなくなった藤原氏だったが、思いもかけない事態が起きた。737年に、当時流行した天然痘で、四人とも死んでしまったのだ。

藤原氏に代わって実権を握ったのが、橘《たちばなの》諸兄《もろえ》だった。唐から帰国した吉備真備《きびのまきび》ら学者をブレーンとして、政権を運営した。

740年、大宰府で藤原広嗣《ひろつぐ》が乱を起こした。さらに、天候不順で各地に飢饉が発生した。疫病も流行した。こうした世の乱れをおさめてもらおうと、聖武天皇は、国分寺の建立、そして大仏の造営など、仏教への傾斜を深めた。

大仏の建立は、莫大な資金が必要とされ、朝廷の財政は一気に悪化し、橘諸兄の力は弱くなっていった。

752年、聖武天皇の念願の大仏は完成した。その四年後に天皇は亡くなった。

橘諸兄にかわって権力を握ったのは、藤原一族のひとり、藤原仲麻呂《なかまろ》だった。不比等の子の四兄弟の一人の子である。これに反発して、橘諸兄の子の橘奈良麻呂《ならまろ》がクーデター計画を練るが、途中で発覚して処刑されてしまった。

聖武天皇の死後、天皇となったのは、光明皇后の娘の孝謙《こうけん》天皇だった。またも女帝である。その後、孝謙天皇は淳仁《じゅんにん》天皇に譲位している。

退位した孝謙上皇は僧の道鏡《どうきょう》を寵愛し、そ

れを諌めた淳仁天皇との関係が悪化した。恵美押勝《えみのおしかつ》の名を賜っていた藤原仲麻呂は、764年に孝謙上皇と道鏡に対し叛乱を起こすが鎮圧されてしまう。

こうして道鏡は、朝廷内での実権を握った765年には、僧でありながら太政大臣になった。

だが、道鏡の天下も、孝謙上皇が亡くなると、終わった。藤原氏の藤原百川《ももかわ》、永手《ながて》が道鏡を追放してしまう。これまで、天武系の天皇が女帝を出しながらも続いていたが、藤原百川の考えにより、770年、天智天皇の系列の光仁《こうにん》天皇が即位した。

その子が、781年に即位する桓武《かんむ》天皇である。

この時代の社会における最大の変化は、743年の墾田永年私財法によって、土地の私有が認められたことである。

長安を手本につくられた平安京

784年、即位して間もない桓武天皇は、政治に僧侶が介入することを危惧し、藤原種継《たねつぐ》を責任者に任じ、長岡京への遷都を決定した。しかし、その種継は反対派によって暗殺されてしまった。その事件に、天皇の弟の早良《さわら》親王が関与している疑いがもたれた。親王は潔白を主張し、断食し、死んでしまった。

その直後に、母と后が相次いで死んだため、これは弟のたたりに違いないとして、桓武天皇は再び遷都を決断、794年、平安京に遷都した。「京都」の誕生である。

平安京は、唐の長安を手本に、東西4・5

キロ、南北5・2キロを、碁盤の目のように区切ったものだった。

美女楊貴妃の登場と唐帝国の転落

中国の多くの王朝が「女」が原因で滅びるように、唐もひとりの絶世の美女のせいで滅亡に向かう。世界三大美女のひとり、楊貴妃《ようきひ》である。

735年、楊貴妃は最初は玄宗《げんそう》皇帝の息子の后として後宮に入った。美貌なだけでなく、聡明で、音楽の才能もあった。彼女の存在を知った玄宗皇帝は息子から奪い取ってしまう。744年、楊貴妃は玄宗皇帝の后となった。楊貴妃26歳、玄宗皇帝61歳である。

ここから転落が始まる。玄宗皇帝は楊貴妃のために七〇〇人の織工を雇い、極上の絹を織らせるなど、湯水の如く金を使い出した。

さらに、楊貴妃の一族を高官に登用するようになり、そのひとり、楊貴妃のいとこにあたる楊国忠《ようこくちゅう》は、宰相と肩を並べるほどの権力を握った。

楊貴妃の寵臣で、男女関係が噂されたこともある安禄山《あんろくさん》は体重二百キロの巨漢だった。玄宗皇帝も彼を気に入っていた。おもしろくないのが、楊国忠である。二人は対立するようになった。

755年、安禄山は先手を打って、叛乱を起こした。スローガンに掲げたのは、「君側《くんそく》の奸《かん》（君主のそばにいる邪悪な臣下）を除く」だった。その「君側の奸」とは楊国忠のことである。

安禄山の軍勢は一気に進撃し、洛陽を落と

▶唐の最大領域

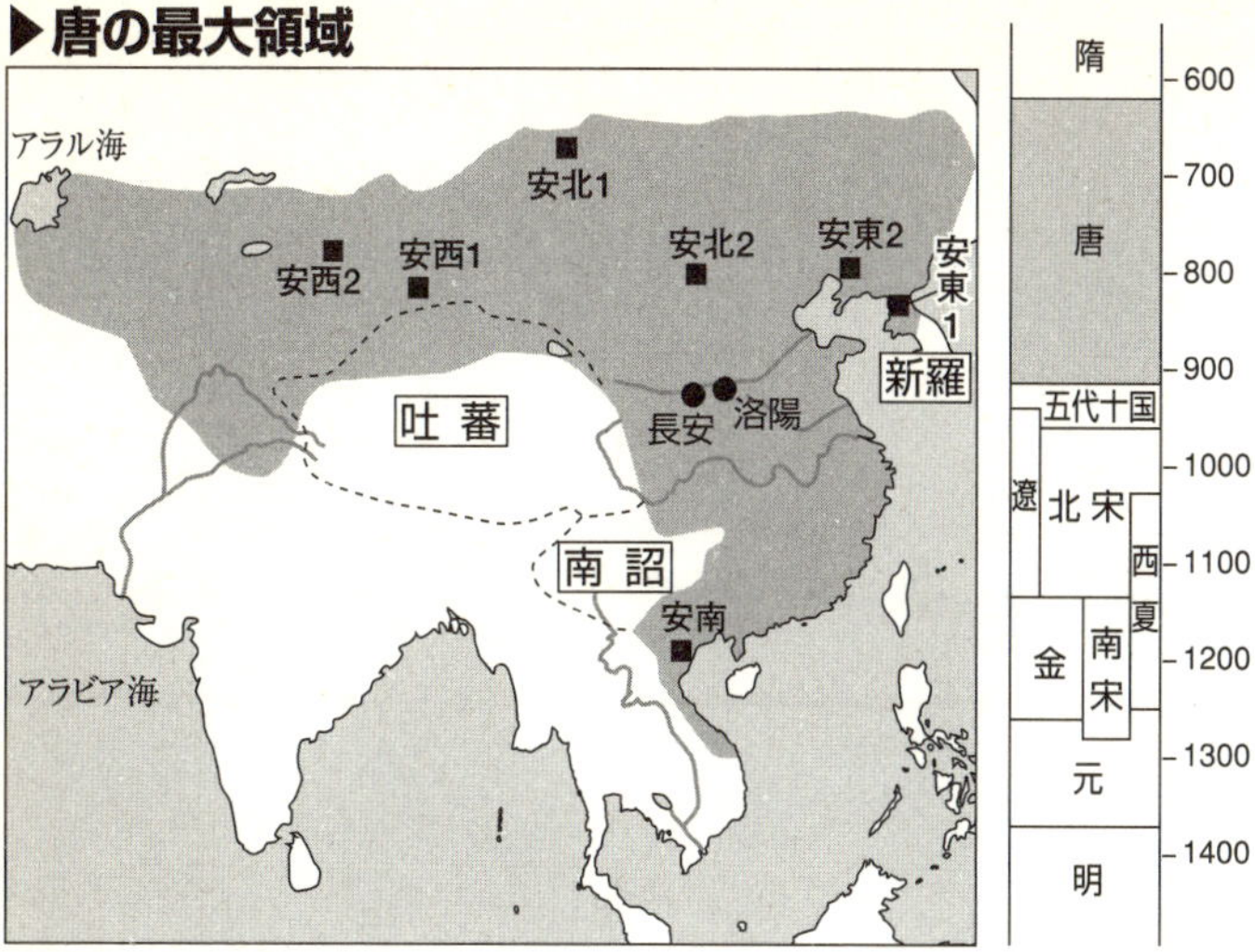

し、玄宗皇帝のいる長安も陥落した。皇帝は楊貴妃と逃げようとしたが、そのとき、護衛兵たちが、叛乱を起こした。兵たちは、玄宗皇帝に、楊貴妃と楊国忠を殺すよう求めた。安禄山の軍勢も迫るので、玄宗皇帝はやむなく、宦官に命じて楊貴妃を殺させた。

失意のまま、玄宗皇帝は長安から蜀へ落ちていき、その途上で退位し、その後は抜け殻のようになって762年に亡くなった。

290年の歴史に幕を閉じた唐帝国

唐帝国は、建国から一五〇年が過ぎ、地方では節度使《せつどし》（軍の総司令官）が力をつけ独立の気運を見せ、中央の朝廷内部では宦官が力をつけだし皇帝権力は無力化していた。

875年、塩の密貿易で儲けた商人の黄巣《こうそう》が、私費で軍隊を結成し、叛乱を起こした。庶民は重税にあえいでいたし、地方での叛乱も頻発していたので、混乱に乗じて、国を乗っ取ろうとしたのである。皇帝軍は弱体化していたので、880年には、ついに都の長安は陥落、皇帝は逃亡した。黄巣は自ら皇帝であると名乗った。だが、その天下は二年で終った。黄巣の乱に参加していた朱全忠《しゅぜんちゅう》が黄巣を見限り、唐帝国に寝返ったのである。

黄巣を討伐し、力をつけた朱全忠は、宦官をことごとく殺し、さらに宰相も殺し、ときの皇帝も殺した。そして13歳の少年を即位させると、その数年後に退位させ、自ら皇帝となった。

907年、国号は後梁《こうりょう》となり、ここに唐帝国は二九〇年の歴史を閉じた。

だが、この大梁は長くは続かない。すぐに倒され、中国は動乱の時代に突入した。「五代十国時代」である。

いくつもの国の栄枯盛衰
——五代十国、宋

五代十国は、春秋・戦国、三国、南北朝につぐ、四つ目の戦乱の時代である。しかし、過去の戦乱の時代が数百年にわたったのに対し、半世紀ほどと短い。小さな国がいくつも興っては滅びた。

960年、五代十国時代を終息させた宋が建国された。創始者の趙匡胤《ちょうきょういん》（太祖）は中国統一へ向けて動き出した。しかし、江南の呉越と北漢は征服できないまま、976年に亡くなった。後を継いだ弟の代の979年にその二国も宋の支配下に入り、ようやく中国の平定は終わる。だが、北の遼は健在だった。

モンゴル系の契丹《きったん》族は、五代十国時代に、後晋が後漢を滅ぼすときに協力し、その見返りとしていまの北京一帯の一六州を割譲された。ここからさらに領土を広げていき、９４６年には国号を遼《りょう》とした。以後、遼は隙をうかがっては、中国皇帝の座を狙っていた。

これまでの中国の王朝は、ほとんどが内部崩壊による自滅だった。だが、いよいよ、中国は外敵の侵略の危機を迎える。

頂点を極めた菅原道真を陥れた陰謀

藤原氏は、不比等の四人の子の代に、四つに分かれ、それぞれ、南家、北家、式家、京家といった。そのなかで、北家が勢力を伸ばし、摂政・関白となって、政権を握っていった。

藤原北家の冬嗣《ふゆつぐ》と、その子の良房《よしふさ》は、それぞれ娘を天皇に嫁がせ、外戚となった。本来の皇太子の部下が謀反を企んだとして捕まり、皇太子も廃嫡となり、冬嗣の娘が産んだ子が、文徳《もんとく》天皇として即位したのが、８５０年のことだった。８５７年に良房は太政大臣となった。

８５８年に文徳天皇が亡くなると、良房の娘が産んだ清和《せいわ》天皇がわずか9歳で即位。良房が実権を握り、８６６年には、皇族以外で初の摂政の地位に就いた。摂政は天皇が幼少の場合に、それを補佐する役割で、事実上、天皇と同じ権限を持つ。

藤原良房の養子、基経は、さらに出世した。良房が生きているあいだに右大臣にまでなっていたが、清和天皇が、まだ9歳の陽成《ようぜい》天皇に譲位すると、摂政になった。さらに、884年に陽成天皇が光孝《こうこう》天皇に譲位すると、実質的に、成人した天皇の補佐役である関白になった。正式に関白となるのは、887年、宇多《うだ》天皇が即位してからである。

このように、藤原良房と基経の父子二代のあいだに、天皇は八人も交代した。それも、自分の意思によってではなく、藤原氏の意向によっての譲位であった。

こうして、藤原氏による摂関政治が確立された。その犠牲となったのが、菅原道真だった。基経の死後、宇多天皇は関白をおかず、久し振りの天皇親政を試み、菅原道真《すがわらのみちざね》を右大臣に登用した。これに、基経の子の藤原時平《ときひら》が反発し、道真を陰謀にかけ、901年、九州の大宰府に左遷してしまった。903年、その地で道真は亡くなった。その後、都では不吉な事件が続発したため、道真の祟りとされ、道真を神として祀ることで、その怨念を鎮めようとした。

武士の台頭を告げる二つの叛乱

桓武天皇と清和天皇には、子どもが多く、そのすべてを宮家とするわけにもいかなくなり、平氏、源氏の姓を与え、臣下とした。これが、それぞれ桓武平氏、清和源氏となる。つまり、平氏と源氏は、もとをたどれば天皇家の子孫なのである。

そのひとりに、現在の茨城県で勢力を伸ばしていた平将門《たいらのまさかど》がいた。

領地をめぐって桓武平氏の内部で抗争があ

り、それに勝利した将門は、その地の地方行政官である国司が、非道なことをしていたので、それを倒すために地方豪族と連帯し、叛乱を起こした。

９３９年、将門は、常陸国の国府を襲撃、つづいて関東一円の国府を次々と襲い、自ら、「新皇」を名乗った。

関東は、ほんの一瞬ではあったが、将門が支配する独立国となったのである。

同じ年、まるで打ち合わせをしていたかのように、西日本では、瀬戸内海の海賊のリーダーとなっていた藤原純友《すみとも》も叛乱を起こした。

だが、９４０年には将門が、同じ平氏一門の平貞盛《さだもり》らに討たれ、９４１年には純友も源経基《つねもと》に討たれたことで、二つの乱は平定された。

この乱は、叛乱を起こすのも鎮圧するのも武士であることから、朝廷がいかに弱体化しているかを示すものでもあった。

藤原氏の栄華はいかに築かれたか

９６９年、醍醐《だいご》天皇の皇子で左大臣をしていた源高明《みなもとのたかあきら》が、藤原一族の陰謀によって失脚してしまい、かわって、藤原師尹《もろただ》が左大臣になった。

これにより、藤原氏の権力は磐石なものとなった。

そうなると、今度は藤原氏一族間での権力闘争が始まった。それに勝利したのが、藤原道長《みちなが》だった。

１０１１年、藤原道長は三条《さんじょう》天皇のもとで、関白に次ぐ内覧という地位に就き、その次女を嫁がせた。1016年に三条天皇が退位すると、長女と一条《いちじょう》天皇とのあいだの子を、後一条《ごいちじょう》天皇として即位させたうえで、三女を嫁がせた。さらに、その次の後朱雀《ごすざく》天皇には四女が嫁いだ。こうして、何重にも天皇家との姻戚関係を結び、権力を強固なものとしたのである。

前九年の役と後三年の役が持つ意味

中央から遠く離れた東北の地では、太平洋側の陸奥は安倍氏、日本海側の出羽は清原氏が支配するようになっていた。

その安倍氏が、1051年に叛乱を起こしたため、源氏の源頼義《よりよし》とその子の源義家《よしいえ》が鎮圧のために、出兵した。頼義と義家は、清原氏の助けを借りて、安倍氏を倒した。これを前九年の役という。「前」というのは、その後に起きる後三年の役に対して「前」という意味で、実際の戦闘期間は、1551年から1562年までの足かけ十二年にわたるが、休戦期間もあったので、実質的には「九年」だったらしい。この役により、安倍氏が倒れたことで、結果的に、清原氏が東北全域を手にした。

その清原氏が滅びるのが、約二十年後の後三年の役である。1083年から87年まで戦闘が続いた。安倍氏一族の女性を母とする藤原清衡《きよひら》は、母が清原氏と再婚したため養子となっていた。しかし、清原氏に内紛が起きると、陸奥守となっていた源義家の力を借りて、清原氏を倒した。

奥州は藤原清衡のものとなった。以後、奥

州藤原氏として、百年にわたり栄華を極めるのである。

院政とはなんだったのか

藤原氏の摂関政治は、娘が天皇の子を生み、その子が天皇となることで、維持されてきた。ところが、後冷泉《ごれいぜい》天皇と藤原氏の娘のあいだには、子が生まれなかったため、1068年に即位した後三条《ごさんじょう》天皇は親政を始めた。藤原氏が外戚とならないのは、実に170年ぶりのことだった。

後三条天皇の後を継いだのは、その子、白《しら》河《かわ》天皇である。天皇は1086年にわずか八歳の堀河《ほりかわ》天皇に譲位し、自らは上皇となり、院政を始めた。「院」とは、上皇の住居の意味である。

白河上皇は、1096年には出家し、法皇となった。

この院政は、鳥羽《とば》上皇、後白河《ごしらかわ》上皇もおこない、約100年にわたりつづくことになる。

白河上皇のいる院を警護していたのが、「北面の武士」だった。この時代、寺院は広大な荘園を手に入れ、僧兵を従えて、勢力を強めていた。その寺院に対抗するために、朝廷も武装する必要があったのである。

こうして、源氏と平氏といった武士たちは朝廷との関係を強めていく。

保元の乱と平治の乱が持つ意味

源氏と平氏が歴史の表舞台に躍り出るのが、

この保元の乱である。

鳥羽上皇は、長男の崇徳《すとく》天皇が自分の子ではなく、祖父の白河上皇の子ではないかと疑い、嫌っていた。そこで、いやがる崇徳天皇を退位させ、その弟の後白河天皇を即位させた。崇徳は上皇となったが、父の鳥羽上皇に不満を抱いていた。

1156年、鳥羽上皇がなくなると、崇徳上皇は、ようやく自分の出番がきたと、後白河天皇を退位させようと画策した。

こうして、天皇家の兄弟の対立が起き、藤原家と平氏と源氏もそれぞれ、一族内で対立していたため、敵味方に分かれた。

後白河天皇には、藤原忠通《ただみち》、源義朝《よしとも》、平清盛《きよもり》がつき、崇徳上皇側には、藤原頼長《よりなが》、源為義《ためよし》と為朝《ためとも》、平忠正《ただまさ》がついた。

鳥羽上皇が亡くなって9日後、源義朝と平清盛は崇徳上皇の陣営を攻撃し、その日のうちに勝利した。崇徳上皇は讃岐へ流刑となり、藤原頼長は戦死、源為義と平忠正は処刑された。後白河天皇は、三年後に二条《にじょう》天皇に譲位し、院政を始めた。

保元の乱では共闘した源義朝と平清盛だったが、三年後には敵となっていた。

1159年、後白河上皇が清盛ばかり重用することに不満を抱く藤原信頼《のぶより》と源義朝がクーデターを起こした。上皇は幽閉され、天皇も叛乱軍におさえられた。

だが、すぐに平清盛が上皇と天皇を救出した。後白河上皇は、信頼の追討令を清盛に出した。義朝は都から逃げる途中で殺されてしまった。その三男の頼朝《よりとも》は、伊豆へ流罪となった。このとき、頼朝と、その異母弟である義経《よしつね》を殺さなかったことが、平氏の命取りと

▶保元の乱関係図

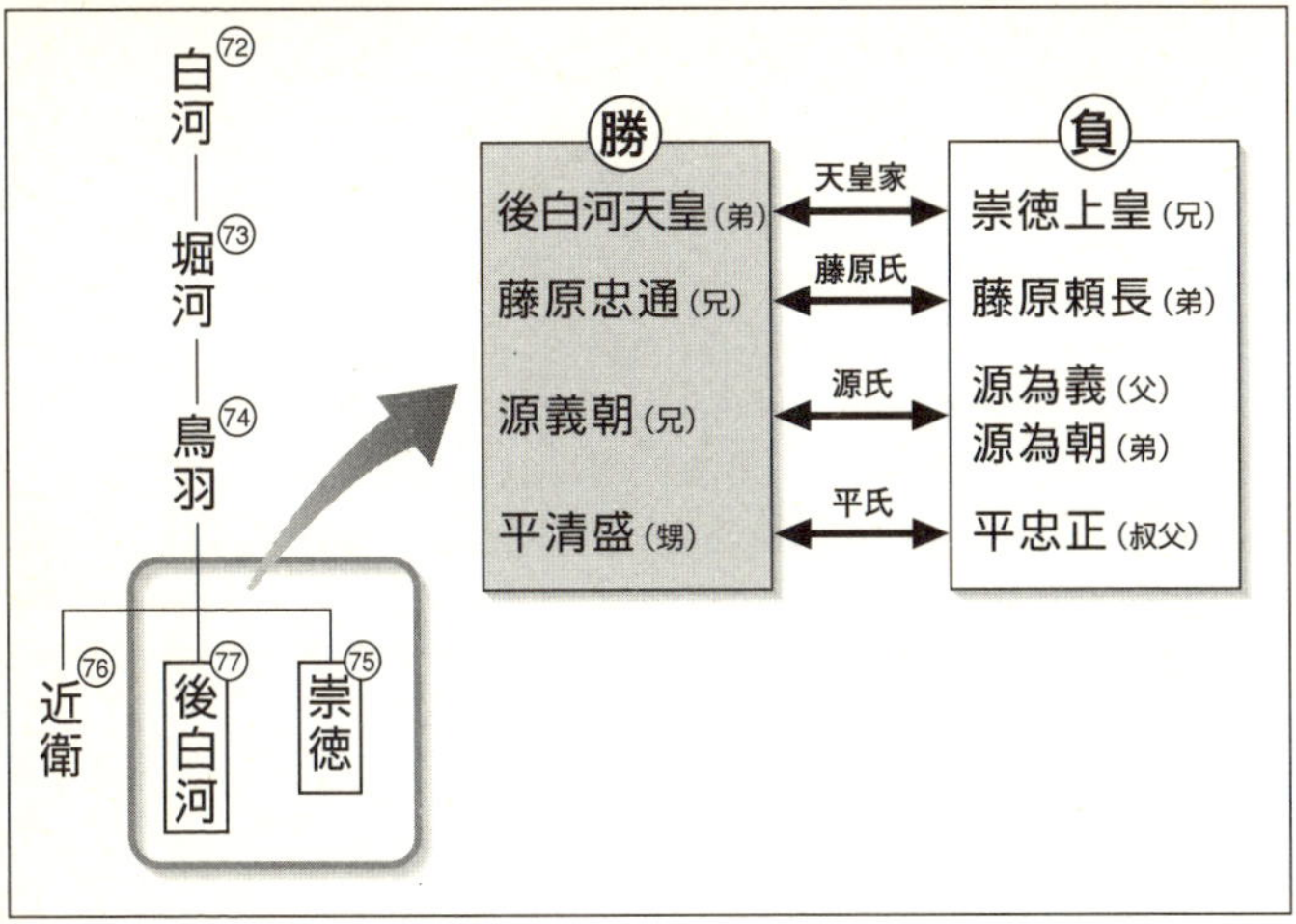

なるのである。

保元の乱と平治の乱によって、後白河上皇と平清盛の関係は強化され、二人が国政の実権を握るようになった。

源平合戦の知られざる顛末

平清盛は武士でありながら、実権を握ると、かつての藤原氏のように、娘を天皇に嫁がせ、外戚としてさらなる権力を目指した。武士として初の太政大臣にまで出世したのである。

政策としては、中国（南宋）との貿易を本格的に始めたのが、特筆すべきことである。これまでの貴族政治にはない、大胆な政策で、この日宋貿易により、平家は莫大な富を得た。

こうして、平家は、政治的にも経済的にも

繁栄した。当然、それを快く思わない人々が増えてくる。最初は蜜月状態だった後白河法皇も、平家が自分よりも強くなると、不快感を示すようになった。1177年、後白河法皇はついに、クーデターを起こした。だが、すぐに平家によって鎮圧されてしまい、法皇は幽閉された。結果的に、法皇の失脚、清盛の独裁体制の確立を招いた。

だが、後白河法皇も諦めなかった。1180年、法皇は息子の以仁王《もちひとおう》に命じ、源氏に平家打倒を呼びかけた。各地にいた源氏が、次々とそれに応じて挙兵した。

源氏との戦いが始まったが、1181年、清盛は病死し、リーダーを失った平家は、それからの戦いで次々と敗北していく。

1183年、木曾の源義仲《よしなか》は北陸から京を目指し、ついに、平家を京から追い払うことができた。後白河法皇は最初は義仲を歓迎したが、乱暴者の義仲を疎んじるようになり、源頼朝に義仲を倒せと命じた。

1184年1月、頼朝の命を受けた源義経は義仲を倒し、さらに、西へ逃げていた平家を追い詰め、一の谷の戦い、屋島の戦いで勝利し、1185年3月、ついに壇の浦で平家を滅亡させた。水没する平家の船のなかには、8歳の安徳《あんとく》天皇もいた。

日本初の武家政権・鎌倉幕府の成立

平家を倒すと、源頼朝は後白河法皇に東海道と東山道の支配権を認めさせた。この時点で、実質的に日本には東西二つの政権があったことになる。

後白河法皇は、このままでは朝廷の権力が失われると危機感を抱き、1185年、京にいた義経に頼朝追討を命じた。頼朝と義経の兄弟仲を引き裂いたのである。

だが、頼朝が法皇に抗議すると、あっさりと義経を捨て、今度は頼朝に義経追討を命じた。義経は逃亡生活を送り、1187年に少年期を過ごした奥州の藤原氏のもとに辿り着いた。藤原秀衡《ひでひら》は快く義経を迎えたが、間もなくして急死してしまった。後を継いだ泰衡《やすひら》は、義経を差し出せと頼朝から執拗に迫られ、ついに屈服してしまい、義経を裏切る。1189年、義経は、自害して果てた。

義経を差し出したので奥州は安泰かと思われたが、頼朝は甘くなかった。奥州藤原氏は、源氏によって滅亡させられた。

1192年、この数十年にわたる戦乱の原因の生みの親ともいえる後白河法皇が亡くなった。法皇は頼朝からの征夷大将軍にしろという要求を頑なに拒んできた。これ以上、源氏に権力を与えてはいけないと考えたからである。一方の頼朝は平家が貴族となり、朝廷での官位を求めたのが失敗の原因だと考え、京に行き貴族になることは拒んでいた。

後白河法皇が亡くなったので、朝廷には頼朝の要求を拒めるような、強い存在はいなくなった。

1192年、源頼朝は征夷大将軍に任じられ、鎌倉に幕府を開いた。

朝廷対幕府の対立が頂点に——承久の乱

1199年、源頼朝が亡くなると、120

2年にその子の源頼家《よりいえ》が後を継いで将軍となった。だが、頼家が若かったため、母親の政子の実家、北条家が実権を握り、政子の父、北条時政《ときまさ》が執権となり、実権を握った。

1203年、頼家は暗殺され、その弟の源実朝《さねとも》が三代将軍となる。だが、実朝も1219年には暗殺されてしまい、源氏の正統は断絶する。

一方、朝廷では後鳥羽《ごとば》上皇が院政を始めており、幕府と緊張関係が生じていた。1221年、上皇は北条征伐を決断した。承久の乱である。だが、幕府軍は強く、京は制圧され、上皇は流罪となった。

こうして、鎌倉幕府の力は、ゆるぎないものとなったのである。京都には六波羅探題《ろくはらたんだい》が置かれ、朝廷は幕府の監視下に置かれた。

鎌倉幕府の将軍には、皇室や貴族から擁立されるようになり、名目だけのものとなった。ほとんど歴史には登場しないが、16代までいる。実権を握ったのは、北条氏で、執権の座を世襲していった。

二つの王朝が共存した時代
——宋、金

一方、中国では、1004年、宋の三代皇帝・真宗《しんそう》の時代に、遼がついに中国本土に侵攻し、皇帝は都を追われた。遼との間で講和条約が結ばれ、領土の割譲は免れたものの、宋は毎年、遼に対し大量の絹や銀を貢がなければならなくなった。

北が落ち着いたと思ったら、1038年には北西のチベット系タングート族の西夏《せいか》が攻めてきた。結局、宋帝国は、この西夏とも、遼と同様に絹や銀を貢ぐ条約を結ぶはめになった。

　1100年、ときの皇帝・徽宗《きそう》は政治能力のない文化人だったため、財政が悪化した。遼や西夏に備えるため軍事費は増大し、なんと国庫収入の七五パーセントが軍のために使われた。財政悪化の解決策として紙幣を刷りまくったので、大インフレとなった。当然、民衆の不満は鬱積し、爆発した。

　この宋の混乱を遼が黙って見ているはずはない。だが、遼にも大きな変動が起きていた。1115年に、遼から女真族が分離・独立し金《きん》を建国した。宋帝国は「敵（遼）の敵（金）は味方」という戦略を思いつき、金と同盟を結んだ。遼を挟み撃ちにしようというのである。ところが江南で大規模な叛乱が起きたので、宋軍は南下し、叛乱の鎮圧に向かった。

　一方、金は宋の力を借りずに遼を倒してしまい、その勢いで、1126年、華北に侵入した。皇帝は南に逃げ、1127年、宋はいったん滅びた。だが、皇帝一族のひとりがまだ生きており、自ら帝位につくと宣言した。高宗《こうそう》である。以後の宋を南宋《なんそう》といい、それに伴い、それ以前を北宋《ほくそう》と呼ぶようになる。

　華北一帯はすでに金が占領していたので、1141年、南宋と金の間で和議が結ばれ、中国は北の金、南の宋と、分裂の時代を迎えた。宋としては、当然、いつの日か華北を異民族の手から奪還するのが悲願となったが、国力をつけるほうが優先された。

　宋の時代は文化も花開いた。大陸を金に抑えられたことから、南宋は交易の場を海に求め、東南アジア一帯に交易拠点が展開し、インド、ペルシャ湾、紅海にまで、宋の船は航行したのである。

1215年、北方の金が滅亡したとの知らせが宋に届いた。それは、宋にとって、より巨大な敵が出現したことを意味していた。モンゴルである。

巨大帝国・モンゴルの出現
——元

モンゴル族は遊牧民族なので移動ばかりしていた。したがって、ひとつひとつの部族は割合と小さい。その小さな部族同士がお互いに領土を奪い合う、弱肉強食の世界だった。

1162年、チンギス・ハンは小さな部族の長の息子として生まれた（生年については諸説ある）。本名はテムジン。しかし、少年のころに父が殺されるという悲劇に見舞われ、自らの命も風前の灯という状況から立ち上がった。

やがて、父の死とともに奪われていた部族の長の座に復権し、つづいて他の部族を滅ぼしていった。

チンギス・ハンは軍団の組織者としてはきわめて有能だった。兵が勝手に戦うのではなく、組織的に戦えたのが、チンギス・ハンが勝利した理由でもあった。それまでの遊牧民族は、組織というものを意識しないで戦っていたのである。

1206年、チンギス・ハンは、ついにモンゴルを統一し、皇帝になった。「チンギス」は「絶大なる力」を意味し、「ハン」は皇帝という意味である。

チンギス・ハンのもとで統一されたモンゴルは、怒濤のごとく周辺を侵略し、征服していった。１２０５年から数次にわたり西夏《せいか》を侵攻、西夏は金に助けを求めたが、金は動かなかった。それどころか、金のほうが先に１２１５年に首都・燕京（いまの北京）が陥落してしまう。

この記念すべき年に生まれたのが、チンギス・ハンの孫、フビライである。

１２２７年、ついに西夏も滅びたが、チンギス・ハンも波乱の生涯を終えた。

１２３４年、モンゴルは金を完全に滅亡させ、いよいよ、南宋に矛先を向けた。

チンギス・ハンの孫にあたるフビライは、王位継承順位は低かったが、一族内での戦いに勝利し、１２６０年にハン（皇帝）の地位を得た。

１２７１年、フビライは勝手に、「中国の皇帝」であると宣言し、国号を元《げん》とした。

１２７６年、モンゴル軍がついに南宋の首都・杭州《こうしゅう》に侵攻した。南宋王朝にとって陸地に安全なところはなく、宮廷は船の上に置かれた。海戦となり、南宋軍はベトナムあたりまで逃げたが、その途上で皇帝が亡くなり、その六歳の弟が即位した。

１２７９年、広州湾の戦いが南宋の最後となった。三週間にわたる激戦で、一〇万人以上の死者が出た。そのなかに、幼い皇帝もいた。こうして、南宋は最期を迎えた。

元はモンゴル族の政権だったが、漢民族の文化を取り入れる政策をとった。侵略者のほうが、侵略された側の文化や習慣に従ったのである。

宋までの歴史を持つ漢民族の帝国の組織を利用しなければ、広大な中国を統治できないと判断したからだった。それには漢民族の協力が不可欠であった。

元の襲来が幕府に与えた影響とは

源平の争乱と、鎌倉幕府成立、その後の北条氏による執権政治の確立といった、動乱の時代が終わり五〇年ほどたった頃、日本を未曾有の危機が襲った。

中国大陸を支配した元帝国が、日本にも侵攻してきたのである。

元も、いきなり攻めてきたわけではない。高麗を通じて、日本に元の支配下に入るように、何度も求めてきたが、執権の北条時宗がこれを無視したため、ついに武力行使に出たのである。

1274年、900隻の船に4万人を乗せた元の大軍が、博多湾に上陸した。戦いが始まると、日本軍は苦戦した。だが、暴風雨が起き、元の船は沈んでしまい、日本は助かった。

態勢を立て直して、元が再び来襲したのは、1281年だった。その間に、二度、元からの使者が来たが、幕府は殺してしまっていた。

元は、今度は4400隻の船に14万人という、前回の三倍以上の大軍で攻めてきた。ところが、またしても暴風雨が吹き、退却してしまう。日本はこれを「神風」と呼んだ。

もともと元は草原の遊牧民だったため、海戦にはなれていなかった。さらに、14万人の軍勢の多くは、高麗や南宋といった元が征服した地域の人々だったので、元への忠誠心は薄い。そんなこともあって、元は弱かったのである。

元を追いつめ、中国統一を果たす ——明

元帝国は、フビライの死後、漢民族の文化を尊重するフビライの路線を継承する派と、モンゴルの伝統を守るべきと主張するモンゴル原理主義派との対立が激化した。それは皇帝の座をめぐる後継者争いの形で表れ、以後の74年間に一〇人の皇帝が即位するという短命時代を迎えた。当然、帝国は弱体化した。

いくら漢民族を尊重していたとはいえ、異民族に征服されていることへの漢人の不満は鬱積していた。

元末期、もはや元に叛乱を抑える力などないと知った各地の豪族たちが、同時多発的に蜂起した。彼らは紅の頭巾をかぶっていたので、「紅巾の乱」と呼ばれた。

紅巾軍に参加していた豪族のひとりに、濠州の郭子興《かくしこう》のもとで頭角を表した青年がいた。後の明帝国皇帝となる朱元璋《しゅげんしょう》だった。人を惹きつける力があり、軍事的才能もある朱元璋を見込み、郭子興は自分の娘と結婚させた。

朱元璋は貧しい農民の子として生まれ、両親も兄弟も死に、飢えて死ぬ寸前だったところに、紅巾の乱が起き、これに加わったのである。

１３５５年に郭子興が亡くなると、朱元璋はその一族を粛清し地盤と軍を手に入れた。

１３５９年、南京を攻略すると、呉国王と名乗り、その地、呉を独立国とした。軍事的手腕に加え、行政能力もあった朱元璋は、民衆の支持を集め、江南の地を平定していった。

１３６８年、中国中南部の平定を終え、自

ら皇帝を名乗り、国号を明《みん》とした。同時に年号を洪武《こうぶ》とし、一世一元と定めた。これはひとりの皇帝の代は元号はずっと同じにすることで、皇帝の名と元号は同じになった。日本の明治以降がこれと同じである。こうして、朱元璋は洪武帝となった。

洪武帝最大の課題は、元を倒し、漢民族による帝国を完成させることだった。

1368年、北京を陥落させ、1370年にはモンゴルをかなり北方にまで追い詰めた。そして、1382年、ついに元の残存勢力を一掃し、中国統一を果たした。

洪武帝の死後、後継者争いから内乱となったが、それも落ち着くと、永楽帝の時代には、明帝国は中国史上最も輝いていた時代とまでいわれる黄金時代を迎えた。

経済は発展し、文化も栄えた。その豊富な財源をもとに軍備拡張が可能となり、五度にわたりモンゴルに侵攻した。強大な軍事力を背景に、外交を優位に進め、朝鮮半島やベトナムまでを併合、明帝国の領土は拡大した。大型艦船がインド洋をこえ、ペルシャ湾からアフリカにまで達し、中国も大航海時代を迎えた。

鎌倉から室町へ…武家政権の展開

1246年に後嵯峨《ごさが》天皇が亡くなると、後継者をめぐり、朝廷内で争いが生じ、以後、朝廷は持明院《じみょういん》統と大覚寺《だいかくじ》統に分裂した。

1317年に幕府の仲裁により、以後、二つの系統が交互に即位することでまとまった。

一方、近畿地方には、武士の中に新興勢力

が生まれ、「悪党」と呼ばれていた。

1318年、後醍醐《ごだいご》天皇が即位すると、院政を廃し、天皇自らが政治を執り行う、天皇親政を目指し、倒幕計画を立てた。1324年の正中の変と1331年の元弘の変はともに失敗、後醍醐天皇は隠岐へ流罪となった。

だが、後醍醐天皇は諦めなかった。皇子の護良親王が、倒幕を呼びかけていた。近畿の悪党たちも、倒幕を目指し、楠正成が兵を挙げた。情勢を見極め、後醍醐天皇は隠岐から脱出した。倒幕勢力は活気づいた。

鎌倉幕府は、足利尊氏を叛乱の鎮圧のために派遣したが、尊氏は天皇側に寝返った。さらに、新田義貞が鎌倉を攻め、執権の北条高時を自殺に追い込み、1333年、鎌倉幕府はその歴史を閉じた。

1334年、後醍醐天皇は、「建武の新政」と呼ばれる、政治・行政改革を断行した。天皇中心に戻そうとしたのである。だが、武士たちは、これに不満を抱いた。

とくに足利尊氏は、高い地位に就けなかったので不満が強く、大覚寺統の後醍醐天皇とは別の、持明院統の光明天皇を即位させた。これを北朝という。

後醍醐天皇は京から逃れ、吉野に朝廷をつくった。これを南朝という。それまでは二つの系統が天皇の座を争ってはいたが、同時に二人の天皇が立つことはなかった。それが、ついに二人の天皇が立つという事態になった。

1338年、足利尊氏は光明天皇から征夷大将軍に任じられた。室町幕府の誕生である。

南北に分かれた朝廷が統一されるのは、それから約60年後、三代将軍、足利義満《よしみつ》の時代の1392年のことだった。

義満は当時の中国、明との貿易を始め、巨額の利益を得た。また、明の皇帝から「日本国王」の称号をもらった。さらに、天皇家に近づき、息子を天皇の養子にさせたうえで、天皇に譲位させ、自分が上皇になるという計画を描いた。天皇家乗っ取りを図ったという説もある。だが、1408年、突然の病死で義満の野望は潰えた。

応仁の乱からはじまった激動の時代

1441年、室町幕府六代将軍足利義教《よしのり》は、幕府権力強化を狙い、独裁政治を行なおうとしたところ、これに反感をいだいた播磨の守護、赤松満祐《あかまつみつすけ》よって暗殺されてしまった。この事件をきっかけに、ただでさえ弱っていた幕府の権力と権威は地に落ちた。各地の守護大名たちは独自の軍を組織し、それぞれ独立国めいてくるのである。

八代将軍足利義政《よしまさ》の時代の1467年、将軍家に、後継者を巡り内紛が起きた。管領家である畠山氏、斯波《しば》氏にも家督問題があった。これらをきっかけにして、全国的な内乱となった。東軍は細川勝元《かつもと》、西軍は山名宗全《そうぜん》がリーダーとなり、これに諸大名が参戦し、京都を主戦場に1477年まで断続的に11年も続いた。京都は荒廃し、幕府は山城一国しか支配できなくなり、中央政府としての機能を果たせなくなった。

この応仁の乱以後、各地の守護大名が、その家臣にとってかわられるという下克上の世の中が到来した。戦国時代である。

■世界史・日本史年表Ⅱ

■ヨーロッパ・アメリカ

481	メロヴィング朝（フランク王国）
493	東ゴート王国建国
496	フランク王国カトリック改宗
527	ユスティニアヌス帝即位
534	ヴァンダル王国滅亡
555	東ゴート王国滅亡
568	ロンバルド王国建国
627	ニネヴェの戦い
636	ヤルムークの戦い
711	西ゴート王国滅亡
726	聖像禁止令（ビザンツ帝国）
732	トゥール・ポワティエ間の戦い
751	カロリング朝（フランク王国）
756	ピピンの寄進
756	後ウマイヤ朝
800	カールの戴冠
829	イングランド統一
843	ヴェルダン条約
870	メルセン条約
882	キエフ公国建国
911	ノルマンディ公国
962	神聖ローマ帝国建国

■アジア・中東・アフリカ

581	隋建国
604	煬帝が即位
610頃	イスラム教成立
618	隋滅亡／唐建国
622	ヒジュラ（聖遷）
626	貞観の治（〜649）
632	ムハンマド死去
651	ササン朝ペルシャ滅亡
661	ウマイヤ朝成立
676	新羅が朝鮮半島を統一
713	開元の治（〜741）
732	トゥール・ポワティエ間の戦い
750	アッバース朝成立
755	安史の乱（〜763）
875	黄巣の乱（〜884）
907	唐滅亡。五代十国時代へ
909	ファーティマ朝成立

■日本

538	仏教伝来
587	蘇我氏が物部氏を滅ぼす
645	大化の改新
663	白村江の戦い
672	壬申の乱
710	平城京へ遷都
729	長屋王の変
794	平安京に遷都
842	承和の変
866	応天門の変
894	遣唐使廃止
939	将門の乱・純友の乱
1051	前九年の役（〜1062）
1083	後三年の役（〜1087）
1156	保元の乱
1159	平治の乱
1180	石橋山の戦い／富士川の戦い
1184	一の谷の戦い

987	カペー朝成立（西フランク）
1054	東西教会分裂
1066	ノルマン朝（英）
1077	カノッサの屈辱
1095	クレルモン宗教会議
1096	十字軍（〜1270　7回まで）
1204	コンスタンティノープルを十字軍占領
1215	マグナ・カルタ（英）
1241	ワールシュタットの戦い
1261	ビザンツ帝国再興
1265	シモン・ド・モンフォールの乱
1295	模範議会（英）
1303	アナーニ事件
1309	教皇のバビロン捕囚
1339	百年戦争（〜1453）
1347	黒死病拡がる（〜1349）
1378	教会分裂（〜1417）
1381	ワット・タイラーの乱（英）
1438	ハプスブルク朝（神聖ローマ帝国）
1453	ビザンツ帝国滅亡
1455	ばら戦争（〜1485）
1479	スペイン王国
1485	チューダー朝（英）

916	遼建国
932	ブワイフ朝成立
960	宋建国
962	カズナ朝成立
1038	セルジューク朝成立
1115	金建国
1127	南宋建国
1169	アイユーブ朝成立
1206	チンギス・ハン、モンゴル統一
1258	アッバース朝滅亡
1234	金滅亡
1271	モンゴル、国号を元とする
1279	南宋滅亡
1299	オスマン帝国成立
1351	紅巾の乱（〜1366）
1368	明建国
1392	李氏朝鮮建国
1402	永楽帝の即位（明）
1453	ビザンツ帝国滅亡

1185	屋島の戦い／壇の浦の戦い
1192	鎌倉幕府成立
1219	源実朝が公暁に殺される
1221	承久の乱
1224	北条泰時が執権となる
1232	御成敗式目制定
1274	文永の役
1281	弘安の役
1297	永仁の徳政令
1324	正中の乱
1331	元弘の変
1332	後醍醐天皇、隠岐へ配流
1333	鎌倉幕府滅亡／建武の新政
1336	室町幕府成立／南北朝
1338	足利尊氏が征夷大将軍となる
1350	観応の擾乱
1391	明徳の乱
1392	南北朝の統一
1399	応永の乱
1401	第1回遣明使
1404	勘合貿易の開始
1441	嘉吉の乱
1467	応仁の乱（〜1477）

6
ヨーロッパの展開

ルネサンスとヨーロッパ社会の大変化

14世紀、ヨーロッパ社会は戦乱と、ペストなどの流行病で、多くの犠牲者が出て、社会は疲弊していた。こうしたことから「暗黒の中世」と呼ばれるが、そのなかで、イタリアにおいて、新しい世の中が到来しつつあった。

それが、ルネサンスである。

ルネサンスとは、「再生、復興」という意味だが、いったい、何が再生・復興されたのか。それは、はるか昔のギリシャ・ローマの古典芸術なのである。

キリスト教は、人間よりも神が主体であり、現世では苦しいがよい行いをすれば死後救われるとする考え方が基本となっている。そのため、暗い社会になってしまった。

しかし、昔は人間はもっと生き生きとし、明るく暮らしていたではないか、というわけで、人間と現世を中心にしようという思想が生まれた。これが現代に続くヒューマニズムの原点ともなるのである。

ルネサンスといえば、最近もベストセラー小説で話題になっているレオナルド・ダ・ヴィンチが代表的人物である。画家にとどまらず、医学、建築、土木、物理、軍事にまで関心を持ち、また才能を発揮した。

ミケランジェロ、ラファエロも、この時代の芸術家で、みなイタリアで活躍した。

芸術というものは、衣食住に直接関係がない、いわば贅沢なものである。芸術家が生きていくには、その作品を評価して買ってくれるパトロンがいなければならない。十字軍遠征により、イタリアの諸都市は経済的に発展し、メディチ家のような大富豪となる商人も現れ、芸術に理解を示すようになった。

さらに、もともと古代のギリシャ、ローマの文明の舞台となった地域なので、遺跡もたくさんあるし、文化遺産が豊富に残っていた。

ローマ教皇レオ10世は、メディチ家出身だったので、ルネサンス精神を理解していた。そこで、これとカトリック信仰を結合させ、サン・ピエトロ大聖堂を壮麗なものへと改築した。ミケランジェロとラファエロは、この大事業に携わったのである。

こうしてイタリアの、とくにフィレンツェに生まれたルネサンス文化は、ヨーロッパ全域に広がっていき、多くの作品を生むのである。

芸術以外にも、科学技術の面でも飛躍的な発明がこの時代に生まれた。三大発明とされているのが、火薬、羅針盤、印刷である。

純粋にこの時代にヨーロッパで発明されたのは、活版印刷だけで、羅針盤は中国で生まれイスラムを経てイタリアに伝わり、火薬は中国で最初に発明されたものだが、それらが改良されたのはヨーロッパだった。

活版印刷は、やがて宗教改革を生み、羅針盤は大航海時代をもたらす。

「世界」をめざした冒険者たち

ルネサンスによる科学技術の飛躍的発展は、大型の帆船を生み、羅針盤により長距離航海が可能となった。

大航海時代の到来である。

その先陣を切ったのは、ポルトガルとスペインだった。ともに長期にわたり、イベリア半島でイスラム教徒と戦ったことがその原因だった。戦う過程で、イスラム教徒とそれなりの交流もでき、ヨーロッパにはなかった、天文や地理の知識、造船、羅針盤といった技術を吸収したのである。

技術的背景があったとはいえ、なぜ、大型帆船をつくり、海を渡らなければならなかったのか。冒険心もあったかもしれないが、直接には、貿易が目的である。アジアで産出されるものは、それまでは陸路、ヨーロッパにもたらされていた。なかでも人気があったのは、胡椒などの香辛料だった。しかし、東南アジアとヨーロッパの間にはイスラム圏がある。直接、アジアに行くには海を渡るしかなかった。さらに、大型船であれば、一度に大量のものを運べる。

もうひとつは、キリスト教の布教という目的だった。

ポルトガルの王子、エンリケは、航海を支援したことで、「航海王子」と呼ばれる。研究所をつくり、遠洋航海の人材を育成した。そのかいがあって、１４８８年には、ポルトガルのバルトロメウ・ディアスはアフリカ最南端の喜望峰に到達した。

これにより、インドへの航路が開けたのである。１４９８年、同じくポルトガルのヴァスコ・ダ・ガマが、喜望峰からさらにインドにまで到達した。

一方、スペインは、コロンブスがインドを目指したが、何を間違ったのか、アメリカ大陸に到達した。１４９２年のことで、カリブ海バハマ諸島、いまのサンサルバドルに着い

▶大航海時代

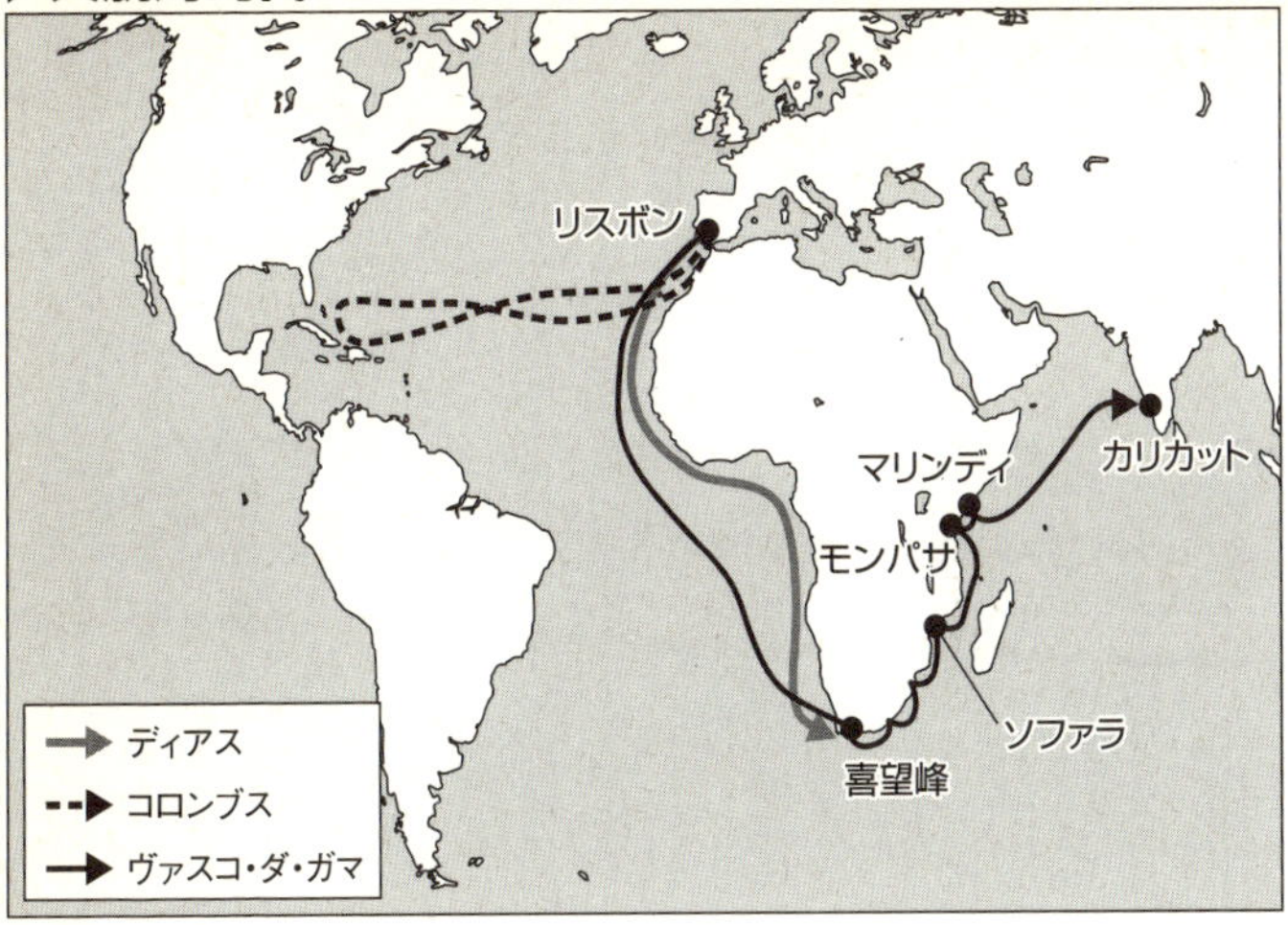

た。新大陸「発見」である。だが、この時点ではコロンブスはそこをインドだと思っていたので、先住民族は、その後、20世紀半ばまで、インディアンと呼ばれることになる。

「新しい」領土をめぐる対立

コロンブスが「発見」したのが、インドではないことを実証したのが、スペインのアメリゴ・ヴェスプッチである。4回にわたる航海によって、アジアではなく、まったく別の新大陸であると確認した。その彼の名をとって、アメリカ大陸となるのであった。

その後も、ポルトガル人とスペイン人によって、「世界」が次々と発見、確認されていく。

１５１９年、ポルトガル人のマゼランは、スペイン王の命を受け、西まわりの航海に出た。南米大陸東海岸に到達し、その後は南下し、ついに太平洋に出た。マゼランの艦隊は太平洋を横断し、フィリピンに到達。マゼランは原住民に殺されてしまうが、艦隊はさらに航海を続け、インド洋を通り、アフリカの喜望峰をまわり、１５２２年にスペインに着いた。これによって、地球が丸いことが実証されたのである。艦隊は五隻の船に２８０人の乗組員で出発したが、帰国できたのは、１隻の船の19人だけだった。

こうして、「世界」に進出したポルトガルとスペインだったが、当然のように、どこを自分たちの領土にするかでの争いが起きた。

１４９４年のトリデシリャス条約で、アフリカ、アジアはポルトガル領、アメリカと東南アジアの一部はスペイン領ということで境界線が引かれた。その後の交渉で、アメリカ大陸のうち東のブラジルはポルトガル領となり、また、アジアも、さらに二分されることになった。

アジアへの進出は、ポルトガルが主導権を握った。１５１１年にマラッカを占領。１５１７年には明との間に通商を開き、貿易を始めた。明にも利益をもたらし、繁栄した。

１５４３年、ついにポルトガル人は日本にもやってきた。種子島に漂着し、鉄砲を伝えた。これが、戦国時代を終息に向かわせる。

インカ帝国が滅亡した本当の理由

コロンブスのアメリカの「発見」は、ヨー

ロッパからの視点にすぎないことから、こんにちでは「到達」というようになったが、いずれにしろ、最大の被害者は先住民だった。

火薬、鉄砲といった武器をもたなかった先住民族は、またたくまに虐殺され、彼らの国家、文化は滅亡に追い込まれた。

アメリカ大陸を領有したスペインが、本格的な植民を開始するのは16世紀に入ってからである。

１５１９年、コルテス率いる征服部隊が、11隻の艦隊に５０８人の兵を乗せて、メキシコ、ユカタン半島に着いた。当時、そこを支配していたのはアステカ帝国だった。

コルテスは反アステカの先住民たちをそそのかして叛乱させ、それに乗じて首都を制圧した。１５２１年には3万人を虐殺し、アステカ帝国を完全に滅亡させた。

１５３１年、スペイン王室の支援を得たピサロが１８０人の兵で南米に向かった。その地で繁栄していたインカ帝国が、兄弟間の帝位争いをしていたので、それに乗じて、帝国を滅ぼしてしまった。１５３３年のことである。

征服者たちは、先住民を奴隷にして働かせた。南米で産出される金、銀、タバコ、とうもろこし、じゃがいもなどが、本国スペインに送られた。年間１００隻の船が、スペインと新大陸の間を往復したという。

先住民族の工芸品には、金銀が豊富にちりばめられていたので、それらは、潰され、単なる金塊、銀塊になってしまい、多くの文化遺産が失われた。もっとも、この時代には、文化遺産などという考えそのものがなかった。

16世紀初頭には９０００万人がいたと推定

されるアメリカ先住民は、奴隷としての過酷な強制労働や伝染病で激減し、17世紀には350万人になっていたという。

こうして安い、ただ同然の労働力が不足すると、今度はアフリカから黒人が強制的に連れてこられ、奴隷となった。

宗教改革が後世に与えた影響とは

ローマ教皇レオ10世によるサン・ピエトロ大聖堂の大改築は、莫大な経費がかかった。その費用を集めるために、ローマ・カトリック教会は、免罪符を発行して売ることにした。

それまで、信仰によってしか救われないとされていたのだが、免罪符を買えば「教会に対する善行」として認められ、死後、天国に行けることになったのである。多くの人がこれを買って救われようとし、一種の税金のようなものになった。ローマ教会は多大な利益を得た。

実は、この教会の免罪符商法は、フランス、スペイン、ポルトガルといった、中央集権が進み王権が強くなった国ではうまくいかなかった。だが、神聖ローマ帝国（ドイツ）では、皇帝権力が弱かった。皇帝とはいうものの、諸侯のなかの盟主でしかなく、その諸侯は300以上もいて皇帝と対立し、国家としては分裂状態にあった。ローマ教会の悪税に対して、まとまって抵抗できる状態になかったのだ。

ローマ教会はドイツでの免罪符商法がうまくいったので、莫大な利益を得た。だが、儲けすぎたことで、思わぬ事態を招いてしまう。

▶宗教改革の頃のヨーロッパ

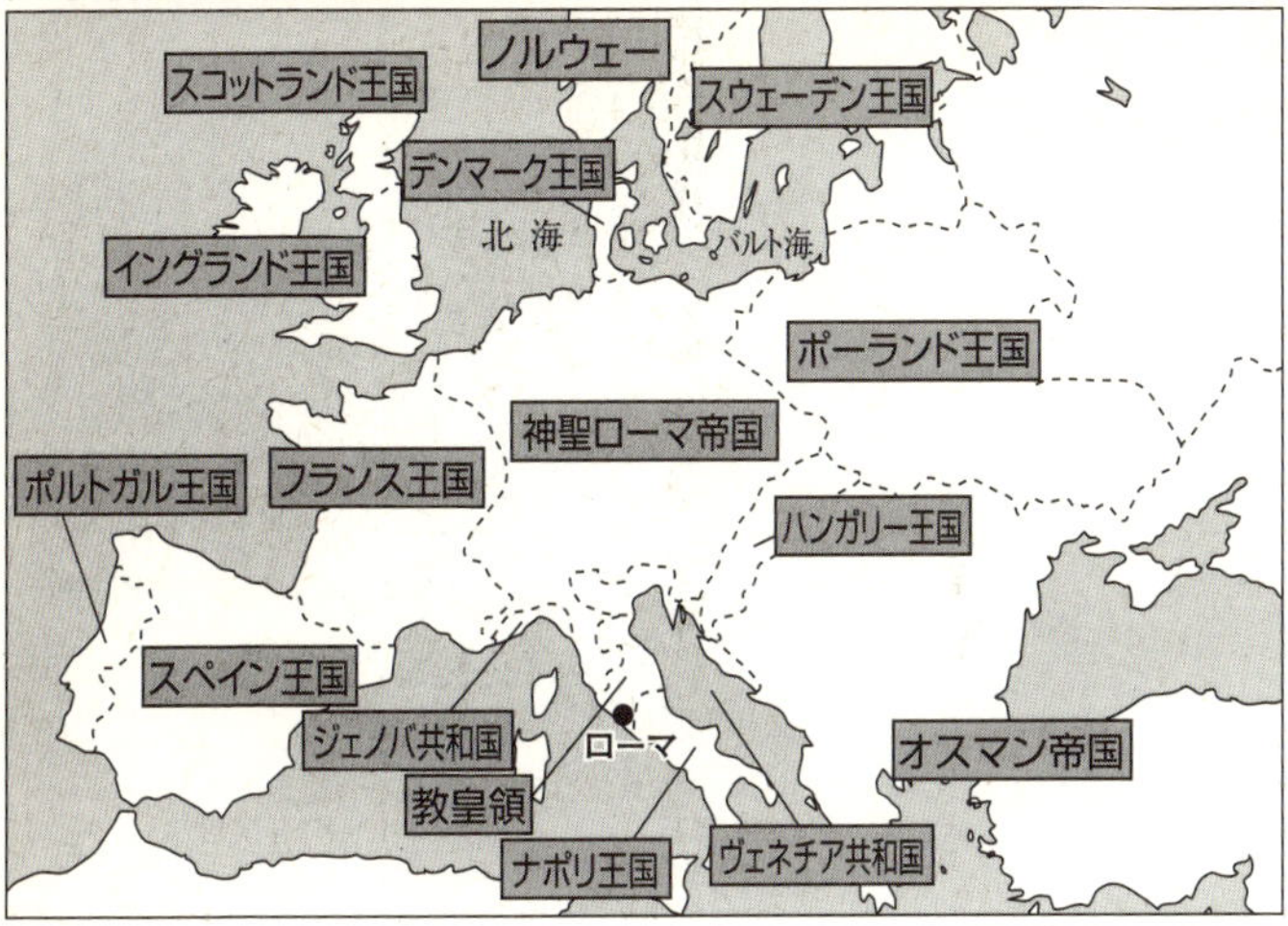

そもそも、免罪符を買えば救われるなどとは、聖書のどこにも書いていないのである。これに疑問を抱く者が出ても不思議ではない。

1517年、ドイツの修道士ルターは、信仰によってのみ救われるはずだ、という内容の「95か条の論題」を発表した。ローマ教皇に異議を唱えたのである。少し前ならば、宗教裁判にかけられ、異端者として火刑になるところだった。

だが、ルネサンス精神が、ルターを強くさせた。ルターの主張はエスカレートしていき、ついには教皇権そのものまで否定してしまう。こうなれば、教皇としてはルターを破門せざるを得ない。だが、教皇権を否定しているのだから、ルターは破門になっても恐くはなかった。

そんなルターを支持する人々が増えていっ

た。ルターは、それまでラテン語のものしかなかった聖書を、誰もが読めるように、ドイツ語に翻訳し、これを印刷した。聖職者がなぜ尊敬されていたかというと、普通の人々はラテン語が理解できないので、聖書が読めなかったからである。聖職者は聖書を独占することで、権威を高めていたのだ。ルターはその聖書を一般に普及させた。

こうしたルターの動きを、ドイツ（神聖ローマ帝国）皇帝カール5世は、当初は黙認していた。しかし、反ローマ教皇の運動が、やがて反皇帝派の諸侯や都市住民、そして農民のあいだに広がっていくと、弾圧政策に切り替えた。ルター派はこれに抗議（プロテスタント）した。ここに、カトリックに対するプロテスタントが誕生した。カトリックを旧教、プロテスタントを新教ともいう。

ルター派となった諸侯は、カトリック支持の皇帝と対立した。1555年、神聖ローマ帝国皇帝カール5世は、ついにそれぞれの諸侯・自由都市が、カトリックとプロテスタントの好きなほうを選んでいいことを認めた。ただし、諸侯や都市がどちらかに決めたら、住民はそれに従わなければならない、「ひとりの支配者のいるところ、ひとつの宗教」という原則が決められ、住民それぞれには宗教を選ぶ自由はなかった。

キリスト教の新たなる展開

宗教改革の波は、フランスにも波及した。ルターに共鳴したカルヴァンが、改革運動を始めた。迫害されたのでスイスに亡命し、ジユネーヴを拠点として、聖書中心主義の「予定説」を説いた。

カルヴァンは、救いを確信するためには、自分の職業に専念すればよいと説いた。利潤追求を認めたことで、商工業者からの圧倒的な信仰を集めるようになった。

イギリスでは、ドイツやフランスとはまったく違う理由から、カトリック教会から、イギリス国教会が分離した。ときのイングランド王ヘンリー8世は、スペイン出身の王妃がいたのだが、離婚したがっていた。しかし、カトリックでは離婚は禁止されている。

ヘンリー8世は、カトリック信者としての信仰は篤かった。だが、ローマ教皇がどうしても離婚を認めないため、1534年にカトリックから分離して、イギリス国教会を作ったのである。

その次のエドワード6世が、プロテスタントの教義の一部を取り入れるようになった。しかし、その後、プロテスタントは弾圧された。このイギリスのプロテスタントのことをピューリタンという。

1559年、エリザベス1世の時代になると、統一法が出され、イギリス国教会が改めて確立された。

イギリス国教会は、トップは国王。その下に、大主教がいて、以下、主教、司祭・執事、そして信者、というピラミッド型組織である。儀式はカトリックの様式なのだが、教義にはルターやカルヴァンの考え方を取り入れている。

カトリック内部でも、プロテスタントを生んでしまった反省から、改革の動きが始まった。しかし、それは、教会と教皇の権威をより強めるという方向での改革だった。

1534年、イエズス会が設立され、積極的な布教活動が始まった。大航海時代となり、スペイン、ポルトガルが海外に植民地を求めて出かけるのに便乗し、中国、そして日本への布教も行なわれるのである。

1545年から63年までに三回開かれたトレント公会議では、教皇の権威と正統性が確認され、宗教裁判が強化され、焚書目録が制定され、プロテスタントとの対立を激化させていく。

ユグノー戦争の発火点になった宗教対立

1562年、カトリックとプロテスタントとの対立が激化し、戦争にまで発展した。ユグノー戦争である。

フランスのカルヴァン派はユグノーと呼ばれ、この頃10万人とも30万人ともいわれる信徒数になっていた。このユグノーたちが礼拝していたところを襲われた。その後もユグノーへの攻撃は続き、1572年にはサンバルテルミで三千人が虐殺された。

ドイツのプロテスタント派の諸侯、イギリス、オランダがプロテスタント側に、ローマ教皇とスペイン王がカトリック側につき、国際紛争にまで発展し戦争は長期化した。

1598年、フランスにブルボン朝を建てたアンリ4世はユグノー教徒だったが、王位に就くとカトリックに改宗し、ナントの勅令を出した。

カトリックを保護しつつ、プロテスタントの権利も認めるという内容で、異教徒同士が共存していく道が開けたのである。こうして、フランスの内戦にまで発展したユグノー戦争は終結した。

だが、ドイツでの新教と旧教の対立はまだ終わっていなかった。

「日の沈まぬ太陽」となったスペイン

スペインは、新大陸からの簒奪《さんだつ》と搾取で巨額の利益を得て、それを海軍力の強化のために投入したので、「無敵艦隊」と呼ばれる、強大な海軍を持つようになった。

１５７１年、それまでイスラム勢力に握られていた地中海の制海権を、レパント海戦でオスマン軍を撃破することで奪還した。

だが、スペインとポルトガルの栄光の時代は、意外なかたちで終わりに向かう。

１５８０年、ポルトガルの王統が途切れてしまった。スペイン王フェリペ２世は母后がポルトガルの王女だったので、自分に王位継承権があると主張し、ポルトガルを併合した。こうして、スペインは、アジア、アメリカの植民地世界のほとんどを支配したのである。

それだけではなかった。スペイン王国の創始者であるフェルナンド王と、イサベル女王が死ぬと、スペイン王位には、遠縁のハプスブルク家のカルロス１世が即位した。カルロスは後に神聖ローマ帝国皇帝になり、カール５世ともいう。

この結果、ハプスブルク家は、もともとの領地であるオーストリアのほかに、ネーデルラント、ナポリ、シチリア、サルディニア、スペインと、その海外植民地つまり、アメリカやアジアを領有することになったのである。この結果、スペインの領土は常にどこかが昼となったので、「日の沈まぬ帝国」と呼ばれる。

だが、1568年から、ネーデルラントで独立戦争が勃発した。戦争はキリスト教のカトリックとプロテスタントの宗教戦争の側面ももっていた。長期化し、1581年、新教のカルヴァン派による北部7州が、ネーデルラント連邦共和国の独立宣言をし、1609年に、スペインもそれを認めた。

1588年、スペイン無敵艦隊は、イギリス本土を征服しようとしたが、イギリス艦隊に迎撃され、壊滅した。

こうして、スペインの没落が始まった。1598年、フェリペ2世が亡くなったときには、国家財政は破綻状態にあった。

ドイツ30年戦争とプロイセン王国の誕生

フランスで新旧のキリスト教同士の争いが落ち着くと、その次は、ドイツでも宗教戦争が始まった。

1555年に諸侯と自由都市単位の信仰の自由が認められたものの、住民ひとりずつは、その領主や都市が決めた宗教を信仰しなければならなかった。さらに、プロテスタントのなかでも、カルヴァン派の信仰は認められなかった。これに市民たちは不満を抱いていたので、新旧の対立がくすぶっていた。

そんなところに、神聖ローマ帝国皇帝フェルディナント2世はボヘミア王を兼ねることになった。皇帝はカトリックである。

皇帝がボヘミアのプロテスタント（新教）を弾圧し始めたので、1618年、ボヘミア神教同盟が組織され、皇帝との対立が激化しだした。

スペインは皇帝を支持、デンマークは新教を助けるためにドイツに侵攻し、イギリスとオランダ、そしてスウェーデンがそれを支援した。戦争の舞台はドイツだった。三十年にわたり戦われ、1648年、皇帝、つまりドイツの事実上の敗北で終わった。

終戦にあたって締結されたウェストファリア条約によって、カルヴァン派の信教の自由が認められ、さらに、ドイツの諸侯と都市の自治権も認められた。スイス、オランダの帝国からの独立も承認され、フランスとスウェーデンの領土も拡大した。

1701年、ドイツのなかで、この三十年戦争の被害が少なかったのが、バルト海沿岸の地域で、そこにあったプロイセン公国は、ブランデンブルク選帝侯国と合併し、プロイセン王国になった。このプロイセンが後にドイツ全体を支配するようになっていくのである。

民主主義の新しい段階——ピューリタン革命

イギリスの民主主義への道が、新たな展開を迎えたのが、ピューリタン革命である。

エリザベス1世は、国王直属の枢密院を中心に政治をおこない、議会無視の傾向を強めた。

その治世44年間のうち、議会を開いたのは、わずか11回だった。

この時代のイギリスは、当時無敵艦隊を誇っていたスペインを海戦で破り、七つの海を支配する足がかりとした。1600年には東インド会社が設立され、アジア貿易、さらにはアメリカ新大陸へも進出していった。

エリザベス1世が亡くなると、スコットランド王ジェームズ1世がイングランド王も兼ねることになった。こうして、イングランドとスコットランドは、共通の国王をもつが、異なる政府・議会という「同君連合」という体制になった。両国がひとつになるのは、1707年である。

ジェームズ1世は王権神授説を唱え、専制政治を断行した。商業の発達で新たな階層が力をつけてきたところに、上からの強権政治を行なったので、新興勢力が集まる議会と、国王との対立は激化した。

新興の商工業者や豊かな農民、さらには貴族の一部のあいだに、新教のピューリタニズムの信仰が広がり、ピューリタン（清教徒）は議会の大半を占めるようになった。

ジェームズ1世はピューリタンの弾圧に乗り出した。こうして、1620年、102名のピューリタンがメイフラワー号に乗り、アメリカにわたった。

1625年、ジェームズ1世が亡くなると、チャールズ1世が即位した。新王は父にならい、ピューリタンへの弾圧を続けた。議会は強く反発し、1628年、「権利の請願」を、王に認めさせた。これは、議会の同意なしに課税することを禁じ、さらに不当逮捕も禁じるものだった。

国王と議会との対立はいったんはおさまるが、スコットランドで起きた内乱鎮圧に必要な戦費調達を目論む国王と、それに反対する議会は衝突し、ついに内乱へと発展する。

議会も一枚岩ではなかったが、実権を握ったのは、ピューリタンのクロムウェルだった。彼はピューリタンを組織して「鉄騎隊」をつくり、軍も掌握した。クロムウェル率いる軍は、1645年に王党軍を破った。

1649年、ついに国王チャールズ1世は処刑され、共和政が樹立された。ピューリタン革命である。

だが、クロムウェルの天下は短かった。ピューリタンは質素で禁欲的な生活を旨としていた。クロムウェルは国民にもそれを強制したので、ピューリタン以外の国民に不満が鬱積した。その結果、議会では穏健派が力をつけていった。そんななか、1658年にクロムウェルは病死した。

1660年、議会穏健派はフランスに亡命していた国王一族を呼び戻し、チャールズ2世が王位に就いた。王政復古である。

チャールズ2世はカトリックに改宗した。その死後は弟のジェームズ2世が継ぎ、彼もカトリック側に立ち、以前のような絶対王政を目指した。だが、歴史はもとには戻らない。新教徒の多い議会は強く反発し、対立が深まった。

1688年、議会は国王を廃位に追い込み、新たに、新教徒のオランダ総督に嫁いでいた王の娘メアリを国王にした。新王夫妻がイギリスに上陸すると、ジェームズ2世は、抵抗せずにフランスに亡命した。こうして、一滴の血も流さずに、政権交代が行なわれた。これを名誉革命という。

新王は「権利の章典」を発布し、議会中心

の立憲王政が確立された。ここに、国王より議会が優位に立つことが決まったのである。

1714年、女王アンが亡くなると、直系の子がなく、弟はカトリックだったため、議会はプロテスタントの親戚をさがし、ドイツのハノーヴァー選帝侯ジョージ1世がイギリス国王として迎えられた。

しかし、すでに50歳をこえていた新王は、イギリスについて何の関心も示さず、また英語もほとんど理解しなかった。閣議にも出席せず、大臣のひとりが内閣総理大臣となって、王の代理の実務を担うことになった。これを「責任内閣制」といい、イギリス国王の「君臨すれども統治せず」の原則の始まりとなった。

こうして、議会と、内閣という二本の柱が確立されたのである。両者がさらに融合し、議院内閣制になるのは、もっと先である。

フランス絶対王政の光と影

ナントの勅令によって、新教徒にも信仰の自由が認められたフランスは、ブルボン王朝のもと、絶対王政の体制になった。

ブルボン王朝の初代はアンリ4世で、絶対王政の基礎を築いたとされている。ユグノー戦争で分裂した国内をまとめ、対立していたスペインとも和解した。

パリの再開発にも着手し、セーヌ川にまたがるポンヌフ橋の建造を中心に、大規模な工事が行なわれた。パレ・ロワイヤルやルーブル宮殿の大ギャラリーの建造もアンリ4世の功績のひとつである。

だが、1610年、アンリ4世は暗殺されてしまった。

その後を継いだのが、まだ9歳のルイ13世だった。少年期には、母が摂政となり、成人後は宰相リシュリューが実権を握った。リシュリューはドイツの三十年戦争に加わり、ハプスブルク家を苦しめた。フランスの議会である三部会は、ルイ13世の治世には一度も開かれることがなく、王権が強化されていった。

「太陽王」と呼ばれ、フランス絶対王政を象徴するのが、ルイ14世である。

1643年、宰相リシュリューの後を追うようにして国王ルイ13世は亡くなり、その子の14世がまたも幼くして新国王になった。そのとき、ルイ14世はまだ4歳だった。

14世を補佐し、実権を握ったのが、宰相マザランである。ドイツ三十年戦争をフランスの有利になるように終わらせた。一方、フランス国内でも貴族の一部が、国王による絶対王政に反発し叛乱したので、それを鎮圧し、国内秩序安定にも努めた。財政面でも、国庫の建て直しをはかった。

1661年、宰相マザランが死ぬと、すでに成人していたルイ14世の親政が始まった。国王はコルベールを財務総監に起用し、重商主義政策を推し進めた。フランスの東インド会社が再興され、ヴェルサイユ宮殿が建てられ、栄華を極め、太陽王と称されたのである。

だが、磐石かと思われたフランス絶対王政は、徐々に崩壊へと向かっていく。

1685年、ナントの勅令を廃したことで、国内の新教徒十万人が亡命した。彼らは裕福な商工業者が多かったので、フランスの国内経済は大打撃を受けた。

領土を広げようと、ルイ14世は、1667年には南ネーデルラント継承戦争、1672年にはオランダ侵略戦争、1689年にはファルツ継承戦争、1701年にはスペイン継承戦争と、侵略戦争を繰り返した。このための戦費と、ヴェルサイユ宮殿の巨額の建設費などで、財政は逼迫していった。

ルイ14世が1715年に亡くなると、その曾孫のルイ15世が国王になった。15世は積極政策を継承し、ポーランド継承戦争、オーストリア継承戦争に参加した。だが、これが、ますます国家財政を圧迫させた。七年戦争ではアメリカ大陸の権益を失い、これがフランスの衰退につながった。

国王は政治への関心を失い、宮殿で愛人との愛欲生活におぼれるようになった。

このころに登場したのが、啓蒙思想家と呼ばれる、ヴォルテール、モンテスキュー、ルソーなどだった。

1770年、ハプスブルク家との和議のために、同家の王女マリー・アントワネットとルイ15世の孫で王位継承者の16世が結婚した。

こうして、長年にわたり敵対してきた両王家、すなわちオーストリアとフランスの和解は成立した。

それを見届けた後、1774年、ルイ15世は天然痘で崩御した。後を継ぐのは、その孫のルイ16世だった。

オーストリア継承戦争の裏側

ハプスブルク家は、各国の王家や公家との政略結婚を繰り返し、ブルゴーニュ公国領ネ

▶ハプスブルグ家系図

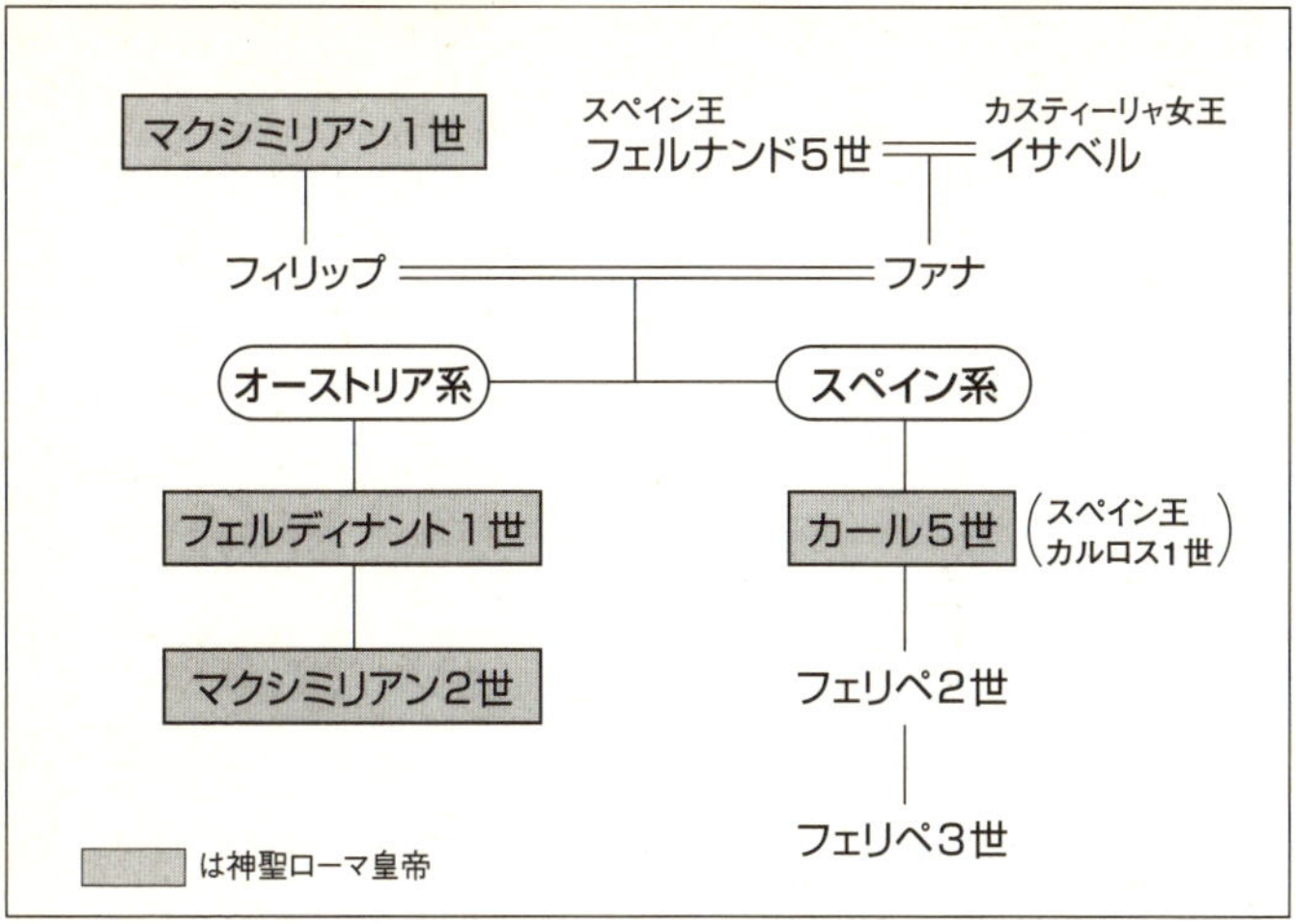

ーデルラント（オランダ）や、スペイン王国とナポリ王国も手にし、ヨーロッパの大領主となった。

１５２１年、ハプスブルク家はスペイン系ハプスブルク家とオーストリア系ハプスブルク家に分かれた。スペイン系はカール５世、その弟のフェルディナント１世がオーストリアを継いだ。

１５２６年、ボヘミアとハンガリーの王の座が空位になると、フェルディナント１世が、それを継承した。これにより、オーストリアのハプスブルク家は東欧にまで勢力を伸ばすことになった。

１５３１年、カール５世が皇帝の座にあったが、フェルディナント１世はドイツ国王になり、１５５６年に兄のカール５世が退位すると、皇帝になった。

実は、この兄弟のあいだでは、フェルディナントの次はカールの息子が帝位を継承し、以後、二つの系統が交互に継いでいこうと取り決めてあった。しかし、フェルディナントはこれをなかったことにし、次の皇帝には息子のマクシミリアン2世を即位させた。

以後、フェルディナント系のオーストリア・ハプスブルク家が、神聖ローマ皇帝の帝位を世襲していった。

1740年、神聖ローマ帝国皇帝カール6世が亡くなった。しかし、彼には男子継承者がなく、長女のマリア・テレジアが後を継ぐことになった。だが、男性でなければならないとして、ザクセン公とバイエルン公が、自分こそが継承者であると主張、これにスペインとフランスが味方した。さらに、プロイセンがシュレジエン地方の領有を認めてオーストリアに侵攻した。

こうして起きたのが、オーストリア継承戦争である。

1748年に終戦にあたって結ばれた条約により、マリア・テレジアの夫のフランツ1世が皇帝になることと、プロイセンがシュレジエン地方を領有することが決まった。

自分は帝位には就かなかったが、実質的な皇帝はマリア・テレジアだったので、彼女は「女帝」と呼ばれるようになる。彼女の娘のひとりが、フランス王妃となるマリー・アントワネットである。

独立を勝ち取ったアメリカ

フランスに大激震が起きる前に、アメリカ

大陸で、大きな変化が起きた。

南米大陸に進出したのはスペインだったが、北米大陸はイギリスが植民地としていった。

最初に植民したのは、1620年にジェームズ1世の弾圧を受けて、難を逃れようとしたピューリタンたちだった。メイフラワー号という小さな船に102名（そのうち41名がピューリタン）が乗り、現在のマサチューセッツ州コッド岬に着いた。

そこから、植民が開始された。

1732年、メイフラワー号から百年ちょっとのあいだに、北米大陸東部に13の植民地ができ、それぞれが、議会をもつまでに発展していた。すさまじい勢いといえる。

一方、フランスはさらに北のカナダや、五大湖、ミシシッピー川流域に、植民地を開いた。

1755年、オーストリアとプロイセンの間で「七年戦争」が始まった。オーストリアが、継承戦争でプロイセンにとられた領地を取り返そうとしたものだった。プロイセンをイギリスが支援し、かつては敵だったフランスはオーストリアに味方した。

その構図がアメリカ大陸にも持ち込まれ、イギリスとフランスはアメリカで戦った。この戦争は北米では「フレンチ・インディアン戦争」と呼ばれている。戦いはイギリスの勝利に終わり、フランスは北米での植民地を失った。

だが、勝ったイギリスは、戦費が膨大になったため国庫が厳しくなり、それまで税制面で優遇していたアメリカの植民地に、本国なみの課税をしなければならなくなった。

それまで、イギリスは重商主義をとってい

た。本国の産業を優先的に保護し、植民地は原料供給地と本国の産業の市場として捉えていた。

したがって、植民地には課税をせず、植民地が輸入するものに高率の関税をとったり、植民地産品の輸出禁止といった措置をとっていた。

1765年、それまでの政策を転換し、まず、印紙条例を発布した。公式書類はもちろん、新聞からトランプまで、あらゆる印刷物に印紙を貼ることを義務付けた。つまり、それらを買う場合、税金を払わなければならなくなったのである。

当然、植民地の人々、とくに、新聞社、法律家、実業家たちが反発した。そして、「代表なくして課税なし」をスローガンにする大反対運動に発展した。

議会に代表を送っていないのだから、課税されるいわれはない、と訴えたのである。この印紙条例は撤廃された。

1773年、イギリス本国は、今度は茶条例を出した。経営難に陥っていた東インド会社を救済するための措置で、同社の紅茶は植民地に無税で輸出され、しかも独占的に販売されることになった。東インド会社の紅茶を、アメリカに押し売りしたわけである。それまで、ヨーロッパから紅茶を輸入して売っていた業者はこれに激怒した。

輸入業者は、東インド会社の船がボストン港に着くと、それを襲い、342箱の紅茶を海に捨ててしまった。そのおかげで、海は茶色くなったので、この事件を「ボストン茶会事件」という。

植民地側は、本国との通商を拒絶するなど、対立を激化させていった。１７７５年、レキシントンでついに本国軍と植民地軍とが武力衝突した。

ここで登場するのが、ワシントンである。ジョージ・ワシントンは、バージニア州で大農場の農園主の家に生まれた。植民地の議会に進出して、政治的な経験を積み、フランスとの戦争では従軍し、軍人としても有能なところを示した。こうした経歴から、ワシントンは植民地側の最高司令官に選ばれた。

いよいよ独立戦争の勃発である。それを理念的に支えたのが、トマス・ペインが書いて出版した『コモン・センス』だった。そこにはジョン・ロックの社会契約説に基づいた、圧政に対しては抵抗する権利があるという主張が書かれていた。

１７７６年7月4日、フィラデルフィアで「独立宣言」が発表された。この日をアメリカの建国記念日とするのはそのためである。イギリスの啓蒙思想家ロックの唱える「自由と平等」「社会契約説」「圧政への抵抗権」が盛り込まれ、これがフランス革命に影響を与えた。

イギリス本国は、独立を承認しなかった。しかし、イギリスの敵であるフランスが、アメリカの植民地側についた。さらに、オランダ、スペインといったイギリスの敵が、みな独立を支援した。「敵の敵は味方」というわけである。

１７８３年、孤立したイギリスは、ついに13州の独立を認め、独立戦争は終わった。

独立はしたものの、各州と、連邦中央政府との権限をめぐり、新国家体制は、なかなかまとまらなかった。

1787年、州同士の対立もあったが、ようやく憲法が制定された。立法、行政、司法の三権分立、州の独立色が強いという特徴を持つ憲法だった。

1789年、ワシントンが初代大統領に選出された。

フランス革命はどうやって展開したのか

フランス国王が何よりもしなければならないのは、国家財政の建て直しだった。そのためには、聖職者や貴族からの増税が必要だった。だが、彼らはそれに反対した。いまでいう抵抗勢力である。

国王は、貴族階級に対抗するために、長らく開かれていなかった三部会を招集することにした。議会の力で、聖職者と貴族への課税を実現しようとしたのである。

だが、その時点で、庶民の不満は爆発寸前だった。天災の影響もあり、不作が続き、民衆は、まさに飢えていたのである。三部会の招集は、そうした苦しむ平民層を政治的に目覚めさせた。

1789年5月、三部会が160年ぶりに開かれた。第一身分の聖職者300名、第二身分の貴族が300名、そして、第三身分の平民600名がヴェルサイユに集まったのである。だが、議案の討議以前の、議決方法をめぐって、一ヵ月も空転した。

その間に、第三身分の議員たちは、宮殿の室内球戯場に集まり、自らを「国民議会」と名乗り、憲法が制定されるまで解散しないことを誓った。これを「テニスコートの誓い」

という。

国王ルイ16世は、この国民議会を武力で制し、解散させようとした。

これに憤激したのがパリ市民だった。7月14日、絶対王政の圧政の象徴で政治犯が捕えられていたバスティーユ監獄を、武装した市民が襲撃した。

フランス革命の始まりである。そこで、この日がフランス革命記念日となった。

パリで民衆が蜂起したとの知らせはフランス全土に伝わり、各地で農民が叛乱を起こした。

8月に入ると、民衆の蜂起を後ろ盾に、国民議会は「人権宣言」を採択し、封建的身分制の廃止を求めた。

当初、国王はこれを認めず、議会が求める改革にも抵抗したが、10月、ヴェルサイユ宮殿が民衆に包囲されると、ついに国王は「人権宣言」を認めた。

1791年、立憲君主制を定めた憲法が発布された。この時点では、平民層の国民議会も、王政の廃止、共和制への移行までは考えていなかった。

だが、国王一家が亡命を企てたことで事態は一転した。自分の国を捨てようとした者は王にはふさわしくないと、国民は怒ったのである。

亡命は失敗に終わり、国王一家はパリへ護送され、テュイルリー宮殿に軟禁された。王権は停止され、1792年9月には選挙によって選ばれた議員による国民公会が成立し、共和政が宣言された。国民公会は、急進派のジャコバン派が主導権を握るようになっていった。

１７９３年１月、国民公会での投票により、ルイ16世は死刑宣告を受け、ギロチンで斬首刑となった。王妃マリー・アントワネットもそれに続き処刑された。

ロベスピエールの恐怖政治とは

フランスで国王が処刑されたことは、ヨーロッパの他の国の国王たちに衝撃を与えた。イギリスを中心に、対仏大同盟が結成された。フランスの新体制は、国内の王政派と、国外と、二つの敵を抱えることになる。

国民公会で主導権を握ったジャコバン派を率いるのはロベスピエールだった。国の内外の敵と戦うためには、戦時体制を敷かなければならないとして、王政が倒れると、ロベスピエールの独裁が始まった。それに反対する者は、反革命の鎮圧という口実で逮捕され、処刑された。「恐怖政治」の始まりである。１７９３年から2年間で3万５０００人以上が死刑になったという。

だが、その反動がやってきた。

１７９４年7月、ロベスピエールは反対派に襲撃され、逮捕されると、すぐに処刑された。これを「テルミドールの反動」といい、急進改革派のジャコバン派は一掃された。

１７９５年、憲法が作り直され、五人の総裁からなる総裁政府が成立し、フランス革命は、終息した。

こうして登場した新たなフランスは、史上最初の国民国家だとされている。国王が、いわば勝手に決めた法律と異なり、国民の代表である議会が制定した法律は、国民に対して、より強制力を持つ。国政に参画するようになったことで、国民は「そんなの、俺が決めたんじゃないよ」と言えなくなったのである。

フランスは中央集権を進め、単一の法体系、単一の政治機構、言語、貨幣、度量衡の統一を実現していった。

こうして、いまでは当たり前の国民国家が、登場したのである。

皇帝ナポレオンの栄光と悲劇

総裁政府は、五人の総裁が共同で統治するという集団指導体制だったので、政権は不安定だった。

さらに総裁政府は、フランスを包囲する対仏大同盟に対抗するためにも、軍部に依存せざるをえなくなった。

その軍で、ひとりの英雄が誕生した。ナポレオン・ボナパルトである。コルシカ出身のナポレオンは革命後に王党派の暴動を鎮圧したことで注目された。

１７９６年、ナポレオンは27歳でイタリア遠征の司令官に抜擢され、翌年、オーストリアを倒し、北イタリアを獲得した。これにより対仏大同盟は崩壊した。

勢いに乗って、ナポレオンはイギリスとインドの通商ルートを遮断するためにエジプトに遠征に出た。「ピラミッドの戦い」では勝利したものの、その後の海戦でフランス海軍はイギリス艦隊を相手に大敗、ナポレオンの軍勢はエジプトで孤立した。

これを見て、諸外国は再び対仏大同盟を結成し、フランスを包囲した。オーストリアは

文明の誕生
ギリシャ・ローマ
日本と中国 Ⅰ
ヨーロッパとイスラム
日本と中国 Ⅱ
ヨーロッパの展開
日本と中国 Ⅲ
激動する世界

北イタリアを奪還し、フランス国民のあいだでは総裁政府に対する不満が鬱積した。

1799年12月、エジプトに孤立していたナポレオンは、兵を置き去りにして単身帰国し、そのまま一気にクーデターを起こし、政権を掌握した。これをブリュメール18日のクーデターという。

新しい体制は、三人の統領による統領政府が政権を担うというもので、ナポレオンはその第一統領になった。実質的にはナポレオンの独裁となった。

政権を握ったナポレオンは対仏大連合との和解を試みたが拒絶されてしまった。となると、武力で制圧するしかない。

1800年、ナポレオンは出撃した。アルプスを越えて北イタリアに侵攻し、6月にはオーストリア軍を破った。翌年2月、オーストリアは和解に応じたので、対仏大同盟はまたも崩壊、フランスの敵はイギリスのみとなった。そのイギリスとも、1802年に一時的ではあるが和解し、停戦となった。

ナポレオンは、国民の間では人気があったが、反対派も数多くいた。ナポレオン暗殺未遂事件は、何度も起きた。外国と戦う一方で、国内のテロとの戦いも、ナポレオンは強いられた。それに対抗するため、ナポレオンはますます強権的になり、1802年には終身統領になり、独裁への道を突き進んだ。

1804年、国民投票により、ナポレオンはついに皇帝になり、ナポレオン1世と称した。その地位を世襲にすると宣言したのである。これまでフランスには国王はいたが、皇帝はいなかった。外国を支配下に置いていないのだから、当然といえば当然である。この

▶ナポレオンの進軍と支配下地域

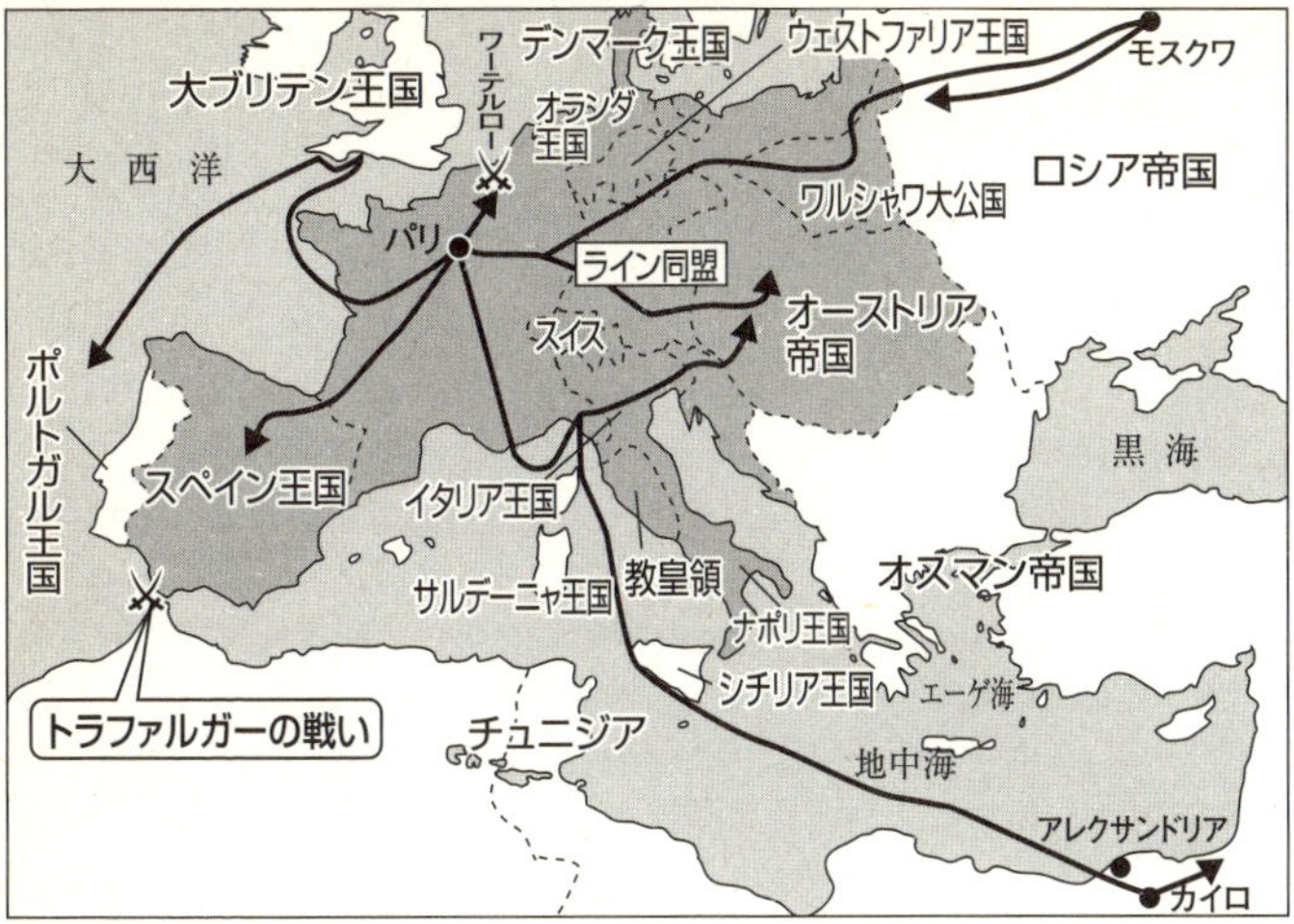

時点でのフランスは、帝国とはいえなかった。したがって、本来なら皇帝と名乗るのはおかしいのだが、革命前の「国王」を名乗るわけにもいかないので、それよりも偉そうな皇帝を名乗ったのである。

1805年、イギリスとの停戦が破られ、再び戦争状態に突入した。ナポレオンはイギリス本国への侵攻を企てた。これを受けて、イギリスを中心にオーストリア、ロシアなどによる第三次対仏同盟が結成された。

陸戦では、ナポレオンの勝利が続いた。10月、「ウルムの戦い」でオーストリア軍を破り、ウィーンを占領した。つづく、「アウステルリッツの戦い」では、ロシアとオーストリアの連合軍に圧勝した。ロシア軍は、皇帝アレクサンドル1世、オーストリア軍は皇帝フランツ1世がそれぞれ率いていたので、ナポレオンとあわせて三人の皇帝が戦場にいたことになる、史上珍しい会戦で「三帝会戦」とも呼ばれる。

　現在のパリの観光名所である凱旋門は、このアウステルリッツの戦いの勝利を記念して建てられたものだ。

　陸戦では勝利したものの、ドーバー海峡を渡ってイギリスを攻めることは、英国艦隊に阻まれた。ナポレオンは海戦ではまたも完敗したのである。

　だが、オーストリアを完敗させたことは大きかった。ナポレオンは、兄ジョゼフをナポリ王に、弟のルイはオランダ王にした。これらは、神聖ローマ帝国皇帝だったオーストリアのハプスブルク家が握っていた地位であり、それを奪い取ったのである。

　ここに、ハプスブル家の神聖ローマ帝国は名実ともに崩壊した。同家の支配圏は、オーストリアとハンガリーなどに限定された。

　フランスが強国になることに危機感を抱いたのは、隣のプロイセンだった。

　１８０６年、このプロイセンの働きかけで、第四次対仏大同盟が結成された。イギリス、ロシア、スウェーデンが参加した。

　戦いになると、ナポレオンは強い。プロイセン軍は敗北し、国王は逃亡、ナポレオンはベルリンを占領した。

　１８０６年、イギリスに打撃を与えるため、大陸諸国とイギリスとの貿易を禁じる大陸封鎖令を出した。

　その後もナポレオンはヨーロッパの国々を支配下に置き、自らの親族を国王にしていった。最盛期には、７つの王国、30の公国がナポレオンの支配下にあり、最初は名目だけだったが、名実ともに「皇帝」になったのである。現在の国名でいえば、イタリア・ドイツ（プロイセンを除く）・ポーランドがフランス帝国の属国になり、オーストリアとプロイセンは従属的な同盟国となった。この頃がナポレオンの絶頂期と評される。その支配下にないのはヨーロッパではイギリスとスウェーデンのみだった。

しかし、大きくなりすぎた帝国は、やがて瓦解していく。まず、スペインで叛乱が起きた。それを鎮圧しようとしたが、ゲリラ戦で敗け、ナポレオンの不敗神話が崩壊した。この小さな敗北が、帝国崩壊の序曲となった。

１８１２年、ナポレオンはロシア遠征を開始した。その兵力は、60万人。フランスだけではなく同盟国からも徴集したものだった。

ロシア軍は撤退し続け、ナポレオンをロシアの奥地へと誘い込んだ。ナポレオンはそれと知らず、自分たちが勝っているものと思い込んで、進軍していった。だが、長くなった戦線をまかなうだけの兵站を、フランス軍は用意してなかった。占領したところで略奪すればいいと考えていた。

ところが、ロシア軍は焦土作戦をとった。フランス軍がモスクワに達しようとしたとき、ロシア軍が自ら火を放ち、モスクワは焦土と化したのである。フランス軍は、略奪しようにも何もなく、やがて到来したロシアの厳しい冬の前に、飢えと寒さで苦しんだ。

ナポレオンは退却を決断した。しかし、無事にフランスに帰れた者は、出発したときが60万人だったのに対し、わずか5千人。死者のほとんどは戦闘で死んだのではなく、飢えと寒さで死んだのだった。

ナポレオンの大敗を受け、プロイセンはまたも対仏大同盟の結成に立ち上がった。オーストリア、ロシア、スウェーデンが加わった。

１８１３年、いったんは勝ったが、「ライプツィヒの戦い」で同盟軍に負け、ナポレオンは逃げるようにして帰国した。

１８１４年3月、パリが陥落し、ナポレオンは退位させられた。4月にはエルバ島に追放された。ここにナポレオン帝国は崩壊した。

その後、ナポレオンは１８１５年にエルバ島を脱出し、パリに戻り、再び帝位につき、新憲法を発布した。諸外国との和解も試みたものの拒否され、またも戦争となる。イギリスとプロイセンの連合軍に「ワーテルローの戦い」で負け、それがきっかけでまたも失脚した。この政権は三ヵ月ほどで崩壊し、「百日天下」と呼ばれた。

また戻ってこられてはたまらないというので、ナポレオンは今度は大西洋の孤島セント・ヘレナ島に流刑になり、6年後にその地で波乱の生涯を終えた。52歳だった。

産業革命
経済、社会を大きく変えた

産業革命とは、機械の発明や改良による生産方式の変化と、それによって起きた経済的・社会的変化のことをいう。機械が発達したおかげで、モノは、「工場」で生産されるようになった。それに伴い、工場で働く労働者というものが誕生した。ちょうど、農業でも生産性が高まっていたため、大量生産のために土地の囲い込み（エンクロージャー）がなされ、多くの農民が土地を失っていた。そうした人々が、工場の働き手となったのである。

一方、工場を持てるのは、かなりの資金のある人に限られた。それまでの家族だけでやっていたような零細手工業者は没落し、工場制手工業が発達するとともに、産業資本家が生まれた。資本家と労働者という二つの階級が生まれ、両者はやがて対立していくことになる。いわゆる資本主義の世の中が到来したのである。モノを大量に作り、一度に大量に運ぶことが可能となり、イギリスは「世界の工場」となった。

農業から工業に、労働人口が移動することで、労働者が暮らすための、都市が発展していくことにもなった。

こうして、こんにちの社会と基本的には同じ産業構造・社会構造が、この時代にイギリスで生まれたわけだが、その背景には、それまでの植民地経営などで富が蓄えられていたこと、植民地が市場となったこと、石炭・鉱石などの資源に恵まれていたことなどがある。

それを可能にした新発明・新技術は紡績の分野で起きた。先駆的なものとして、1733年のジョン・ケイによる「飛び杼《ひ》」の発明がある。これは、縦糸のあいだに横糸を巻いた「杼」を往復させる機械、これにより能率が二倍になった。これをきっかけとして、紡績機の発明・改良が続く。アークライトの水力紡績機（1769年）、クロンプトンのミュール紡績機（1779年）、カートライトの力織機（1785年）の考案がある。これらを「技術革命」という。一方、すでに1712年にニューコメンによって実用化されていた蒸気機関は、1769年にジェイムズ・

ワットが改良し、熱効率が二倍以上になった。これを「動力革命」といい、1814年にはスティーヴンソンにより蒸気機関車が開発され、1830年に、ついにリヴァプールとマンチェスター間に鉄道が開通する。「交通革命」である。

新しい技術は各国にも広がり、ヨーロッパ各国とアメリカで工業化が進んでいくのである。

ウィーン体制はなぜ簡単に崩壊したのか

1814年9月、ナポレオン失脚を見届けると、ヨーロッパ各国の代表はウィーンに集まり、今後をどうするか話し合った。議長はオーストリアの外務大臣メッテルニヒである。

この会議は「ウィーン会議」と呼ばれるが、各国が自国の利益を追求して譲らないので、何ヵ月もだらだらと続いた。会議と並行して、華やかな舞踏会が開かれていたので、「会議は踊る、されど進まず」とオーストリアの将軍が嘆いたことで知られる。往年の名画『会議は踊る』はこのウィーン会議を舞台にしたものである。

ウィーン会議に激震が走るのは、1815年2月に失脚したはずのナポレオンがエルバ島を脱出しパリに戻ったとの知らせだった。またナポレオンの天下となるのはたまらないと、各国は妥協し、ヨーロッパをフランス革命前の絶対主義時代の体制に戻すことが確認された。これを正統主義という。

領土問題としては、オーストリアがいまのイタリアにあたるヴェネツィアとロンバルディアを併合すること、プロイセンやバイエルンなど35の国と4つの自由都市によるドイツ連邦の成立、ロシア皇帝がポーランド国王を兼任すること、イギリスがセイロンとケープを植民地とすることなどが決まった。これをウィーン体制という。

さらに、革命の再発を防ぐために、ロシア皇帝アレクサンドル1世は各国の君主とのあいだに、神聖同盟を結んだ、これに加わらなかったのは、イギリス国王と、ローマ教皇、そしてオスマン皇帝だけだった。それとは別に、イギリス、ロシア、プロイセン（ドイツ）、オーストリア、そして後にはフランスも加わり四国同盟（フランス加盟後は五国同盟）も結ばれた。これは、革命運動が起きたら武力干渉すると決めたものだった。

だが、このウィーン体制は、そう長くはもたない。時代の流れは、民主主義、自由主義へと向かっていた。それを一時的に遅らせることはできても、止めることはできなかった。

自由への欲望が爆発した七月革命、二月革命

フランス革命からすでに半世紀。フランスの市民たちの自由への要求がついに爆発したのが、1830年の七月革命である。その名のとおり、1830年7月に起きた。

フランスはブルボン王朝が復活し、シャルル10世が国王の座にあった。国内では自由主義勢力が増加していた。それに危機感を抱いたシャルル10世は、弾圧政策をとったところ、裏目に出たのである。

国王が出した「七月勅令」は、議会解散、

選挙資格の制限、言論・出版の統制といった反動的なものだった。当然、市民は反発した。勅令を無視して新聞を発行する者が出ると、警察が介入したので、さらに、抵抗運動は強まり、ついにシャルル10世はイギリスに亡命してしまった。

これを「七月革命」というが、また共和制に戻ったわけではなかった。新たに、ブルボン家の分家出身のルイ・フィリップが国王となった。

銀行家などの富裕な市民が支えた体制だった。このため、金融貴族と呼ばれるごく一部の市民が政治を左右するようになった。

フランスの七月革命は周辺各国に影響を与えた。ベルギーはオランダからの独立を勝ち取った。ドイツでも各地で叛乱が起きた。ポーランドではロシアからの独立を求め、市民がワルシャワで蜂起したが、失敗に終わった。ハンガリーでも独立運動が起きるものの、オーストリア軍に鎮圧された。イタリアで革命運動が起きたが、これもオーストリア軍が鎮圧した。

このように、1830年から31年にかけては各地で、叛乱、独立、革命運動が起きたのである。ウィーン体制は綻びが目立つようになってきた。

七月革命の体制のもとで、フランスの産業革命は進行した。資本家はますます裕福になり、労働者との間に格差が広がっていった。当然、労働者の不満はたまっていく。

不満の第一は、当時の人口の約0・6%というごく一部の富裕層にしか選挙権がなかったことだった。

1848年になると、後に世界を変えるこ

とになる一冊のパンフレットが出版された。マルクスとエンゲルスによる『共産党宣言』である。

１８４８年2月、市民、労働者は選挙法の改正を求め、「改革宴会」という合法的な集会を開いた。これを政府は弾圧し、中止させようとした。これに怒った市民たちが蜂起し、市街戦となった。これを「二月革命」という。

国王ルイ・フィリップは亡命し、労働者代表も参加する臨時政府が樹立された。この政府は、産業資本家と、社会主義者が同居する政権で、最初から政府内での対立が激しかった。

ともあれ、臨時政府のもとで、普通選挙法ができ、21歳以上の男子全てに選挙権が与えられた。その新しい制度のもとで選挙が行なわれると、社会主義勢力は大敗し、穏健な共和主義者による政府が誕生した。

新政府のもとで新憲法が制定され、大統領には、ルイ・ナポレオンが就任した。その名でわかるように、あのナポレオンの一族、甥にあたる人物である。ルイ・ナポレオンは１８４９年に大統領になると、51年にはクーデターで独裁権を握り、翌52年、皇帝になった。あのナポレオンと同じ道を歩んだのである。これを第二帝政という。

七月革命のときと同様に、フランス二月革命は、各国に影響を与えた。3月、オーストリアでは三月革命が起きた。ウィーンで大暴動となり、ウィーン体制の生みの親であり象徴的人物であるメッテルニヒは失脚し、亡命した。ここにウィーン体制は崩壊したのである。

プロイセンでは、ベルリンで暴動が起きた

が、これは鎮圧された。イタリアでも民族運動が激しくなり、統一への機運が高まっていた。ハンガリーの民族運動も、爆発した。ポーランドの独立運動も、再び盛り上がっていた。

パックス・ブリタニカ時代の到来

産業革命に成功し、いちはやく工業国へと脱皮したイギリスの黄金時代は、「パックス・ブリタニカ」（イギリスの平和）をもたらす。

世界は、イギリス中心に動くようになるのである。

その時代に国王として君臨していたのが、ヴィクトリア女王だった。

イギリスは政治も経済も自由主義の道を歩み、民主主義のお手本ともいえる政治体制と、資本主義のお手本といえる経済体制を築いた。その両方の歩みを見ていこう。

１８０１年、イギリスはアイルランドを併合し、大ブリテン島およびアイルランド連合王国となった。こんにちの「イギリス」の誕生である。

国内では産業革命の進行に伴い、農村部から都市部へ人口が大移動した。その結果、有権者のほとんどいない選挙区（腐敗選挙区と呼んだ）が生まれ、選挙区制度の改革が問われるようになった。

１８２３年、選挙法が改正され、選挙権が拡大されるとともに、選挙区割りも変更され、腐敗選挙区問題は解消された。選挙権は市民階級にまでは拡大されたが、労働者にはまだ参政権がなかった。

それでも、労働条件は少しずつ改善され、1833年の工場法では、18歳未満の労働者の夜間労働の禁止、9歳以下の労働の禁止が決められた。逆にいうと、それまでは9歳以下でも働かされていたのである。

ヴィクトリア女王が即位した1837年頃から、労働者のあいだで、選挙権を求めるチャーチスト運動が展開された。

これが、史上初の労働者による組織的な政治運動である。この運動は失敗に終わるが、1867年には選挙法改正により、都市部の労働者には選挙権が与えられた。

さらに、1884年には、農業・鉱業労働者にも選挙権は拡大した。だが、21歳以上の男子全員が選挙権を得るのは、1918年まで待たなければならない。

選挙制度が整うとともに、議会制民主主義も発展していった。1830年頃に、地主勢力を基盤とする保守党と、新興ブルジョワジーを支持基盤とする自由党が生まれ、二大政党が選挙で政権を競い合う構図が生まれた。1866年から68年が保守党、68年から74年が自由党、74年から80年が保守党、そしてまた自由党というように、政権交代も行なわれた。

経済面では、1870年代から植民地の拡大を目指し、アイルランドとインドという直轄の植民地のほかに、自治植民地としては、カナダ、オーストラリア、ニュージーランド、南アフリカ、ニューファンドランドなどを持つ大帝国となっていたのである。

原材料を植民地から得て、それを国内の工場で加工し、製品化したものを植民地で売るという、帝国主義政策が、見事に成功した。

1875年にはスエズ運河を買収し、エジプトに進出。77年にはインドに帝国を建国し、ヴィクトリア女王が皇帝となった。

クリミア半島をめぐる各国の思惑
——クリミア戦争

「白衣の天使」ナイティンゲールが活躍したのが、クリミア戦争である。ロシアとオスマン帝国との間での戦争だ。

ロシア皇帝は、ウィーン体制が確立されると、専制政治を推進させた。農奴制の強化、ポーランドの独立運動の弾圧など、強権的な政治が行なわれた。

そのロシアの悲願は不凍港の獲得であった。冬の間、船舶が使えないのでは貿易面でも、軍事面でも不利だった。そのため、南下し、地中海を目指していた。

ロシアが目指していたバルカン半島では、オスマン帝国の力が弱くなっており、スラブ系民族が独立運動を起こしていた。

1853年、ロシアは、オスマン帝国内のギリシャ正教徒を保護するとの名目で、ついに出兵し、オスマン帝国との間で戦争が始まった。黒海に突き出る形のクリミア半島が戦場となったので、クリミア戦争と呼ばれる。

イギリスとフランスは、アジアへの交易ルートをロシアに奪われるのを恐れ、オスマン帝国と同盟を結び、参戦した。当時の地中海を支配していたサルディーニャはイタリア半島統一を目指しており、英仏両国の支持を得たかったので、やはり、オスマン帝国側についた。

こうして大規模な戦争に拡大し、1856年まで続いた。ロシア軍にはクリミア半島の正確な地図もなく、武器・弾薬でも英仏軍が圧倒的にまさっていた。5万人のロシア兵がたてこもった要塞は英仏オスマン軍5万6000人に包囲され、一年にもわたる攻防戦の末、陥落、ロシア軍は敗北した。パリで和平交渉がもたれ、黒海の中立化、オスマン帝国の領土の保全で合意し、終戦となった。

敗戦により、ロシアの南下政策は失敗に終わった。さらに、ロシアの後進性も世界に知らせることになってしまった。父ニコライ1世の後を継いだアレクサンドル2世は、農奴制を廃止し、農奴を解放した。しかし、実質的には、それまでとあまり変わらなかった。地方議会（ゼムストヴォ）も創設されたが、議員のほとんどが貴族だったので、民衆の代表とはいえなかった。

ロシアでも知識人を中心に、社会主義思想が受け入れられていた。知識人と学生を主体とする社会主義運動としてナロードニキ運動が1870年代に起きた。だが、革命の担い手となるべき農民層の支持が得られず、これは挫折し、より過激なテロリズムに走るようになる。この流れが、20世紀になってからのロシア革命へとつながっていくのである。

分裂の危機を迎えたアメリカ
――南北戦争

独立を果たしたアメリカ合衆国は、最初は東部の13州しかなかった。だが、19世紀に入ると、領土を拡張していく。

1803年、フランスからルイジアナを、

1819年にはスペインからフロリダをそれぞれ買収した。さらに、1845年にはテキサスをメキシコから併合し、さらに、カリフォルニア、ネバダ、アリゾナも、メキシコから奪った。

こうしてアメリカは大国になっていったわけだが、そのおかげで、もとからいた先住民(ネイティブ・アメリカン)は、虐殺されたり、土地を騙し取られたり、悲惨なめにあった。100万人はいたとされる先住民は、1890年代にはその4分の1になっていたという。

これまでのすべての大国がそうであったように、アメリカも分裂の危機を迎えた。南北戦争である。

北部は産業革命が早くから進んでいたので、イギリス製品を締め出す保護主義政策をとりたがっていた。一方、農業が主要産業である南部は、綿花の需要がイギリスで伸びていたため、自由貿易を主張した。

さらに、北部は黒人奴隷に反対していたが、南部は奴隷という安価な労働力を前提とした産業構造だったので、奴隷制存続を求めた。

こうした背景のもとで、1860年に北部出身のリンカーンが大統領に当選した。だが、南部の十一の州はこれを無効として、ディビスを大統領とするアメリカ連邦を結成した。この時点で、アメリカには二人の大統領がいたのである。

1861年、南北間でついに戦闘が始まった。北部のリンカーンは奴隷解放宣言を出し、支持を集めた。最初は南軍が優勢だった戦況も、グラント将軍が最高司令官になると、北軍は一気に反撃に出た。

１８６３年、リンカーンは「人民の、人民による、人民のための政府」という有名な演説をした。

１８６５年、南北戦争は、北軍の勝利で終わった。だが、その直後、リンカーンは暗殺されてしまう。

イタリアが統一に至るまでの道のり

かつてローマ帝国という巨大帝国の中心地だったイタリア半島には、小さな国がいくつも群立していた。その一部はオーストリアの支配下にあり、イタリアの統一とイタリア人による国家の樹立を求める気運が高まっていた。

１８４９年、ヴィットーリオ・エマヌーレ2世がサルディーニャの国王に即位すると、情勢は大きく動き出した。国王は、国内の近代化を進め、フランスの支援をとりつけると、１８５９年、オーストリアに宣戦し勝利した。しかし、オーストリアからはロンバルディアしか奪還できなかった。

１８６０年、青年イタリア党のガリバルディが、チリアとナポリを征服して、サルディーニャ国王に献上。残るは、ローマ教皇領とオーストリアが支配するヴェネツィアのみとなった。

１８６１年、サルディーニャ国王ヴィットーリオ・エマヌーレ2世は、イタリア王国の建国を宣言し、その初代国王となった。

１８６６年、ついにヴェネツィアも併合し、70年にはローマ教皇領も占領し、イタリア統一は完成した。

だが、ローマ教皇はこれを認めず、バチカンの宮殿にこもり、イタリアと断絶した。イタリア国家とローマ教皇との和解は、ムッソリーニ政権まで待たなければならない。

ドイツ帝国が誕生するまでの道のり

イタリアと同じように小国が群立していたドイツでも統一に向けて動いていた。

1861年、プロイセンの国王に、ヴィルヘルム2世が即位した。国王は後に「鉄血宰相」と呼ばれるビスマルクを首相に任命した。このビスマルクのもとで、ドイツは統一される。

1864年に、オーストリアと同盟してデンマークと戦い、シュレスウィヒとホルシュタインを獲得した。

66年にはこの二州をめぐってオーストリアとの戦争に勝利した。これによって、ウィーン会議でできたドイツ連邦は、プロイセン中心の北ドイツ連邦と、オーストリア＝ハンガリー帝国に分裂した。

こうしたプロイセンの動きにフランスのナポレオン3世は脅威を感じていた。そして、1870年、普仏戦争が勃発した。プロイセン軍が優勢で、フランスは敗北、アルザス、ロレーヌの二州を失った。

この勝利によって、プロイセンのヴィルヘルム二世は、ドイツ帝国の成立を宣言し、皇帝となった。1871年のことである。このドイツ帝国を、神聖ローマ帝国に次ぐ、「第二帝国」と呼ぶ、第三帝国は、いうまでもなくヒトラーの時代のドイツである。

7

日本と中国 III

戦国地図を塗り替えた覇王・織田信長

1543年、種子島にポルトガル人が漂着した。日本と西洋との出会いである。彼らは火縄銃を持っていて、これを種子島の領主が買った。世は戦国時代。すぐに鉄砲は全国に伝わっていった。一方、キリスト教も1549年に日本に伝わった。

織田信長は1534年に戦国大名の子として生まれ、1551年に家督を継ぎ、尾張地方を平定、今川氏を滅ぼし、さらに美濃の斎藤氏も滅ぼした。自分の領地を安定させると、信長は天下統一を目指すようになった。家臣の明智光秀の仲介で、流浪の身だった、将軍家の血を引く足利義昭《よしあき》を立てて、京に入り、1568年に義昭を15代将軍にさせ、その後見人となった。

ところが、足利義昭が信長を出し抜こうとしたため、信長は1573年に義昭を追放、室町幕府はここに滅びた。

その前後から、信長の天下統一への道は加速していた。浅井、浅倉連合軍をやぶり、1571年には比叡山を焼き討ちし、1575年には武田氏を討ち、一向一揆も平定した。

一方、楽市楽座の政策で経済を活性化させ、安土に巨大な城と城下町を築いた。

だが、1582年、天下統一を目前としたところで、家臣の明智光秀《あけちみつひで》によって、宿泊していた京都の本能寺を襲撃され、信長は討たれた。本能寺は炎上し、焼け跡からは、ついに信長の遺体・遺骨と確認できるものは見つからなかった。

戦乱の世を終わらせた豊臣秀吉

信長を討った明智光秀は、しかし、その11日後に豊臣秀吉によって討たれ、「三日天下」に終った。

主君・信長の仇を討ったことで、信長家臣団のなかでの秀吉の発言力は強まった。１５８３年、柴田勝家を倒すと、織田家臣団のなかに敵はいなくなり、１５８４年、徳川家康とも和睦した。さらに、信長時代に達成できなかった、四国、九州も平定した。

１５８５年、秀吉は最初は征夷大将軍を狙っていたが、源氏しかなれないというので、それは断念し、関白になり、翌年には太政大臣になるとともに、豊臣の姓を賜った。

１５９０年、まだ秀吉の支配下になかった北条氏と伊達氏をついに降参させ、秀吉による全国統一が完成した。信長の死からわずか8年、怒濤の歳月であった。

１５９２年、国内に敵がなくなった秀吉は朝鮮へ出兵した。だが、明が朝鮮を支援したこともあり苦戦し、いったん停戦した。二度目の出兵は１５９７年。最初から苦戦をしいられ、兵站《へいたん》でも苦戦した。

そんななか、秀吉が亡くなったので、兵は撤退した。

秀吉には晩年にようやく生まれた秀頼《ひでより》という後継者がいたが、まだ幼少だった。

秀吉亡き後は、実務を司る石田三成《みつなり》ほかの五奉行と、顧問格の五大老が政権を担うことになったが、五大老の筆頭である徳川家康が天下を狙っていた。

大名の間での支持を着実にとりつけ、一大勢力になった家康は、陰謀によって、三成を挙兵させ、1600年、天下分け目の関が原の戦いに臨み、勝利した。これによって、天下は実質的に家康のものとなった。

徳川250年の治世の礎はいかに築かれたか

源氏を称していたので、家康は征夷大将軍になることができた。しかし、二年で家督を秀忠《ひでただ》に譲った。これにより、将軍の座は徳川家の世襲となることを示したのである。

家康としては、大坂の豊臣秀頼が気がかりだった。いずれ、徳川幕府を脅かす存在になるに違いない。いまのうちに倒さなければならないと考え、謀略で追い込んで行く。

1615年、前年の冬の陣につぐ大坂夏の陣で豊臣家は滅亡した。

こうして、戦乱の時代は終わり、250年も続く平和な時代が始まる。

明を滅亡に導いた女真族——清

1592年、豊臣秀吉の命令で日本は朝鮮に出兵した。防戦のために、明は莫大な軍事費を投入せざるをえなくなり、国家財政が傾いた。中央では宦官《かんがん》の支配体制が確立され、政争も頻発した。当然、各地で叛乱が起きるようになった。

モンゴルの元から中国を奪還した明帝国にとって、次なる脅威は、金の滅亡後、力を盛り返してきた女真族だった。明は女真族の内部分断を狙った。いったんは成功したが、ひとつの部族の長だったヌルハチが頭角をあらわし、各部族を次々に支配下に入れていった。

1616年、女真族は弱体化していた明からの独立を宣言し、後金を建国した。その勢いで朝鮮に攻め入り、明の領土にまで侵攻し、遼河以東を制覇した。

1636年、ヌルハチの後を継いでいたホンタイジは国号を清《しん》とするとともに、「女真」ではなく「満州《まんじゅ》」と名乗るようになった。

1643年、ホンタイジが亡くなり、その息子が六歳で即位した。順治帝《じゅんちてい》である。当初は叔父が摂政となり、政権を運営した。

そのころ、明の末期に起きた叛乱で勝利した李自成《りじせい》が北京に入り、皇帝を宣言していた。この混乱に乗じ、清は中国を乗っ取ってしまった。

清はまたたくまに中国全土を支配下に置いた。満州族が当時の中国で占める人口の割合はわずか二パーセントに過ぎなかったので、行政機構は明時代のものを継承した。

四代皇帝・康熙帝《こうきてい》は、西欧文化の吸収に関心を寄せる開明的な君主だった。台湾を平定したり、チベットを勢力下におくなど、領土拡張もし、清は全盛期を迎えた。

赤穂事件とはなんだったのか

江戸時代は、政権交代はついに一度もなく、徳川家の一族のなかで将軍の座は世襲されていった。江戸幕府ができて100年近くたった、1701年から翌年にかけての忠臣蔵の事件が、最大の事件といっていい。

江戸城松の廊下で赤穂城主、浅野内匠頭長《あさのたくみのかみなが》矩《のり》が、吉良《きら》上野介《こうずけのすけ》に斬りかかり、ケガを負わせた。しかし、喧嘩両成敗のはずが、浅野だけ切腹となり、お家断絶。これを不服に思う浅野の家臣が、家老の大石内蔵助《くらのすけ》をリーダーに、翌年の暮に吉良を討った事件である。

謎の多いこともあり、当初から人々の関心を集め、芝居になったことで、ますます有名になった。

政治上の事件では、1716年に八代将軍となった徳川吉宗《よしむね》の時代の享保《きょうほう》の改革がある。

幕府の財政は破綻しかけていた。そこで支出を減らす倹約令を出した。収入の増加のために、参勤交代を緩和させる代わりに大名に米を上納させるなど、いろいろな政策を立てたが、あまりうまくいかなかった。

ドラマでおなじみの大岡越前が江戸町奉行として活躍したのもこの時代である。

その後、1760年からの十代将軍徳川家《いえ》治《はる》の時代には、老中・田沼意次《おきつぐ》が貨幣を統一するなどの改革を行なった。

1787年からの十一代将軍徳川家斉《いえなり》の時代には、田沼時代を否定する、松平定信による寛政《かんせい》の改革が行なわれた。だが、厳しい倹約令は庶民の反感をかい、改革は挫折した。

1841年からの天保《てんぽう》の改革を主導したのは、老中の水野忠邦《ただくに》。商品経済の秩序を確立し、幕府の権威を回復させようとした。

幕府を揺るがせた ペリー浦賀来航

250年の平和な時代に終わりを告げたのは、1853年の、アメリカの軍艦の来航だった。

すでに、100年以上前の1739年にロシア船が安房沖に出没したのを皮切りに、1792年にはロシアが通商を求めるなど、日本近海に、ヨーロッパの船が頻繁に来るようになっていた。だが、幕府は鎖国政策を改めようとはしなかった。

隣の大国、清がイギリスとのアヘン戦争で負けたことは、すでに日本人の一部の知識階層のあいだに衝撃を与えていた。

いよいよ、幕府としても外国を無視できなくなったのが、ペリー率いるアメリカ艦隊の来航だったのである。アメリカの軍事力の前に、鎖国政策は転換され、1854年、日米和親条約が結ばれた。

この条約締結までの過程で、幕府が政府としての能力に乏しいことが露呈された。国論も、開国か攘夷《じょうい》かで二分された。

その後の数年間に、幕府は、アメリカをはじめ、オランダ、ロシア、イギリス、フランスと通商条約を結ぶが、関税自主権のない、日本側にとって不利なものだった。これを改正させることが、後の明治政府の初期の最大の課題となる。

幕府への不満は、朝廷内部でも高まっていた。大老の井伊直弼《いいなおすけ》が朝廷の許可なしにアメリカと条約を結んだからである。これにより、開国反対の攘夷派は、朝廷を重視するという考えの尊皇思想と結びつき、尊王攘夷運動に発展、倒幕が現実の政治課題になりつつあった。

そんな危機的状況を受け、井伊直弼は倒幕を阻止するための大弾圧政策に出た。「安政の大獄」である。

文明の誕生
ギリシャ・ローマ
日本と中国 Ⅰ
ヨーロッパとイスラム
日本と中国 Ⅱ
ヨーロッパの展開
日本と中国 Ⅲ
激動する世界

井伊直弼への反発は強まるばかりで、1860年、江戸城桜田門の前で、登城途中のところを襲撃され暗殺された。これにより、尊王攘夷運動は一気に爆発し、幕末動乱の時代となるのであった。

近代国家として生まれ変わった日本

薩摩藩と長州藩は、それぞれ倒幕に傾き、最初は反発していたが、坂本竜馬の仲介もあり、薩長同盟が成立し、情勢は一気に傾いていった。

1867年10月、最後の15代将軍となった徳川慶喜《よしのぶ》は、土佐藩から提案された大政奉還を決断した。倒幕の先手を打ったのである。これは土佐藩の坂本竜馬が考えたものがベースとなっていた。

慶喜としては、天皇の下に徳川を含めた各大名による合議体を作るつもりだった。しかし、薩摩の大久保利通《としみち》や公家の岩倉具視《ともみ》らは、幕府を武力で倒し、徳川の力を完全に奪いとろうと考えていた。

12月、西郷隆盛率いる薩摩藩の兵らが、御所を取り囲んだ。公家や、薩摩寄りの大名に囲まれた天皇は、「王政復古の大号令」を発した。

しかし、実態としての徳川幕府はまだ健在だった。大名のなかには、徳川の味方をする者もいた。

1868年、薩摩と長州を中心にした討幕軍と幕府軍との戦いが始まった。鳥羽・伏見の戦いを経て、いよいよ江戸が戦場となった。だが、激戦となり火の海となると予想された江戸での戦いは、勝海舟と西郷隆盛の会談で回避され、江戸城は無血開城された。その後も、幕府軍は懸命に戦ったが、彰義隊《しょうぎたい》の戦い、会津戦争を経て、函館五稜郭《ごりょうかく》の戦いで、ついに完全に敗北した。五稜郭の戦いで戦死した幕府軍のなかに、新撰組の土方歳三がいる。

こうして全国を平定した新政府は、中央集権国家の樹立を目指し、廃藩置県、学制の整備、地租改正、徴兵令といった政策を次々と打ち出していった。日本は近代国家として生まれ変わったのである。

なぜ西郷隆盛は決起したのか
——西南戦争

明治新政府は、薩摩と長州出身者が中心となっていた。その薩摩を代表する西郷隆盛が、すべての官職を辞してしまうのが、１８７３年、「明治六年の政変」である。当時、悪化していた日朝関係を修復するために、西郷が朝鮮に行こうとしていたのだが、大久保利通らが反対、政府内で意見が対立したのである。いったんは、西郷の派遣が決まったが、大久保の画策で中止となり、それに西郷は激怒して、政府を去ったのだった。

明治新政府は、大久保の主導のもと、かつての武士の特権を次々と廃していった。これに不平不満を持つ武士たちが叛乱を起こした。最初の大規模な叛乱が、１８７４年の江藤新平による「佐賀の乱」だった。そして、最後の大規模な叛乱が、西郷隆盛による西南戦争だった。１８７７年、鹿児島に帰っていた西郷は、周囲の士族たちをおさえきれず、挙兵してしまう。２月に始まった戦闘は九州各地を転々としながら、９月に鹿児島の城山が陥落したことで終った。西郷は自刃《じじん》した。

そしてその翌年、大久保は暗殺され、また長州のリーダーだった木戸孝允も病死、「維新の三傑」と呼ばれた三人は相次いで亡くなり、明治政府は世代交代が進むのであった。

大日本帝国憲法が誕生するまで

「明治六年の政変」で、政府の役職を辞したのは、西郷隆盛だけではなかった。板垣退助もそのひとりで、官僚が政治を行なう体制を批判するようになり、国会の開設を求めた。自由民権運動の始まりである。板垣は愛国公党を結成し、民撰議院設立建白書を提出した。

政府のなかで、国会の早期開設を主張したのが、大隈重信だった。しかし、伊藤博文らの反対にあった。

大隈は明治14年の政変で失脚し、罷免された。政府への批判が高まると、明治23年には国会を開設すると伊藤らは約束した。

１８８２年、伊藤博文は、立憲君主制とはどんなものかを視察するために、プロイセン（いまのドイツ）に向かった。その憲法を学び、天皇主権の国家体制の憲法制定を準備した。

１８８５年、太政官制度が廃され、新たに内閣制度が発足した。初代総理大臣には伊藤博文が就任した。

１８８９年、ついに大日本帝国憲法が公布された。そして、その翌年、最初の帝国議会が召集された。貴族院は、皇族や華族などで構成され、衆議院は、国税15円以上を治める25歳以上の男子にのみ選挙権があった。全人口のわずか1％に過ぎなかった。

アヘン戦争後のめまぐるしい展開
——清、中華民国

清は三百年ほど続き繁栄した。西欧との交流も本格化し、中国の絹や陶磁器、茶がイギリスに高く売れた。その一方、イギリスは中国に売るものがなく、いまでいう貿易赤字となった。

これを解消するために、イギリスは中国に阿片を売ることにした。こうして中国が貿易で稼いだ銀はイギリスに逆流した。さらに、阿片中毒者がまたたくまに増え、健康被害はもとより、社会不安にまで発展した。

清政府は、このままでは国が滅びるとして、阿片の輸入を禁じた。港に届いた阿片を押収し、密売する英国商人に強い態度に出た。これにイギリス議会が激怒し、清との戦争を決議した。

１８４０年、イギリス海軍は清に向かい、圧倒的な強さで大勝した。１８４２年、清は南京条約をイギリスと結んだ。これにより、香港はイギリスに割譲され、さらに巨額の賠償金も払わなければならなくなった。

イギリスへの賠償金支払いのため、清政府は増税せざるをえなくなり、庶民の暮らしを直撃した。そこに起きるのが「太平天国の乱」である。鎮圧に清政府がてまどっているあいだに、イギリスとフランス軍が出兵、アロー戦争となった。これにも清は大敗し、天津条約という、さらに屈辱的な条約を結ぶことになった。

清の迷走、敗北はまだ続く。1894年、日本と朝鮮半島の支配権をめぐって対立し、日清戦争に突入したものの、同じアジアの国にも負けてしまう。

ここにきて、漢人の民族意識に火がつき、清王朝打倒の気運が高まった。

あいつぐ敗戦によって、清王朝は国家を近代化する必要を実感した。だが、経済事情の悪化もあり、改革は進まなかった。

そんなころ、孫文が、民族独立、民権伸長、民生安定という「三民主義」をスローガンにして、中国同盟会を組織し、革命運動を始めていた。

1911年、清政府に不満を抱く軍隊が蜂起した。辛亥革命である。アメリカにいた孫文は急ぎ帰国した。革命勢力は、革命政府をどこに置くか、リーダーを誰にするかでもめていたが、孫文がこれらをまとめ、1912年1月1日、孫文を臨時大総統とする中華民国が南京に成立した。

だが、清帝国がなくなったわけではなかった。孫文は清の皇帝、愛新覚羅溥儀《あいしんかくらふぎ》の退位を条件に、清総理大臣の袁世凱《えんせいがい》にその座を譲ることにした。ここに清は滅亡し、それとともに秦の始皇帝以来の「帝国」も最期を迎えた。

袁世凱が独裁を始めたので、話が違うと、孫文は国民党を結成し対立した。国民党は議会でも多数派を占めたが弾圧にあい、孫文は日本へ亡命した。

1916年に袁が亡くなると、孫文は広州で政権を樹立し、中国の統一を図った。一方、ロシア革命に呼応してできた中国共産党も勢力を伸ばしつつあった。1925年、孫文が

▶アヘン戦争

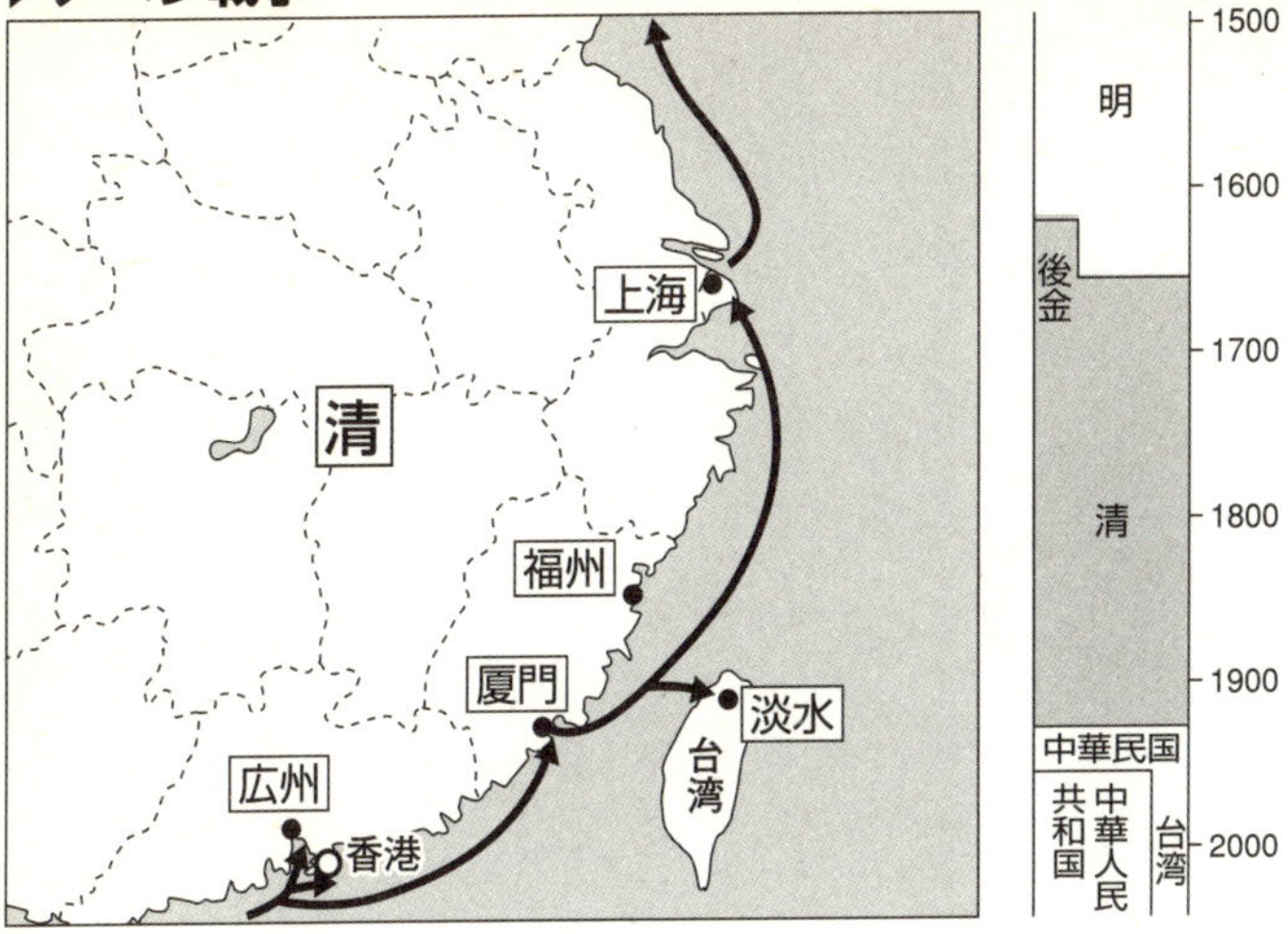

病死すると、蒋介石《しょうかいせき》が国民党を継いだ。

明治日本が戦った二つの戦争 ——日清戦争

朝鮮半島をめぐり、日本は清と対立していた。さらに、ロシアも南下して朝鮮半島に触手を伸ばそうとしていた。

１８８２年、朝鮮で保守派が日本寄りの政府に反発しクーデターを起こすが、清の軍が鎮圧した。次に、１８８４年には、今度は改革派が日本の援助を受けて蜂起した。しかし、これも失敗に終わり、朝鮮は清が支配するようになる。

１８９４年３月、朝鮮の民族派の東学党が決起し、内乱状態になった。６月、日本と清はともに鎮圧のために出兵した。日本は清に、一緒に朝鮮改革を進めようと提案するが拒否されたので、清に対し開戦を決断した。7月、こうして日清戦争は始まった。

戦争は約8ヵ月で日本の勝利で終わった。下関で講和会議が開かれ、日本は、台湾、澎湖列島、そして遼東半島と多額の賠償金を得た。ところが、日本がアジアで強くなることを警戒したロシアが、ドイツ、フランスと手を組み、遼東半島を返還するように求めてきた。これを「三国干渉」という。伊藤博文首相と陸奥宗光《むつむねみつ》外相は、これに屈服し、返還した。これが後の日露戦争への伏線となる。

明治日本が戦った二つの戦争
――日露戦争

日清戦争によって清が想像以上に弱いことを知ったヨーロッパの列強各国は、中国各地に租借地を設け、実質的に中国を分割、支配していった。そのなかでも、地の利を得たロシアは、日本に返還させた遼東半島を租借地として、南下政策に必要な港を手に入れた。

1900年、こうした外国の侵略的行為に反発した中国の民族派の義和団が、叛乱を起こした。日本を含む列強が出兵したので、清は各国に宣戦布告。しかし、軍事的に列強連合軍にはかなわず、負ける。その結果、各国の軍隊駐留と治外法権を認めるなど、開戦前よりもひどい条件の議定書を結ぶはめになってしまった。

この義和団事件を契機に、ロシアは中国東北部の満州を実質的に支配するようになった。日本としては、これは警戒しなければならない事態だった。いずれはロシアとの戦争が避

▶日露戦争時点の国際関係

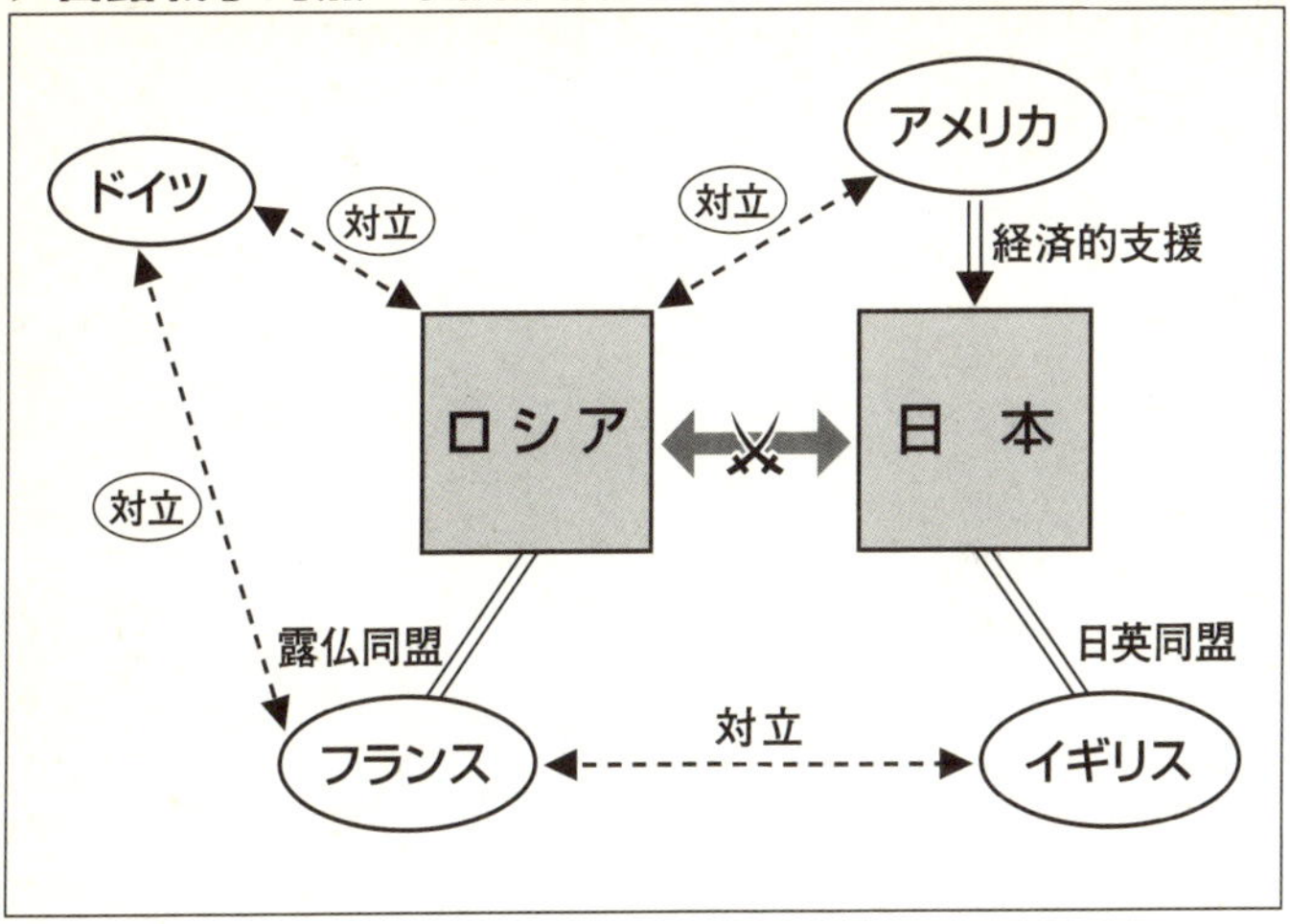

けられないと考えた日本は、イギリスと同盟を結び、それに備えた。

1904年、満州をめぐる日露の交渉は決裂し、2月、ついに宣戦布告となった。乃木《のぎ》希典《まれすけ》が指揮した旅順攻略は難航し多大な犠牲を出した。東郷平八郎率いる連合艦隊とロシアのバルチック艦隊との海戦は、日本の圧勝で終わった。

こうして、日本は戦闘では勝利したのだが、アメリカが仲介に入って締結したポーツマス条約が、日本にあまり有利とはいえない内容だったため、国民はこれに失望し、怒り、講和反対のムードが高まり、暴動に発展した。

ロシアは国内に革命運動の高まりという事情を抱え、アジアへの進出を断念した。日本は本格的に朝鮮半島と満州を支配下に置くべく、動き出した。

■世界史・日本史年表Ⅲ

■ヨーロッパ・アメリカ

1492	コロンブスアメリカ到達
1517	ルターが95箇条の論題発表
1521	コルテスがメキシコ征服
1524	ドイツ農民戦争
1533	ピサロがペルー征服
1534	イギリス国教会成立
1562	ユグノー戦争（〜1598）
1571	レパントの海戦
1598	ナントの勅令
1603	スチュアート朝（英）
1618	ドイツ30年戦争（〜1648）
1620	メイフラワー号アメリカ到着
1643	ルイ14世即位（仏）
1648	ウェストファリア条約
1649	共和政となる（英）
1660	王政復古（英）
1688	名誉革命（英）
1689	権利の章典
1700	北方戦争
1701	スペイン継承戦争（〜1713）
1740	オーストリア継承戦争（〜1748）
1756	七年戦争（〜1763）
1773	ボストン茶会事件（米）

■アジア・中東・アフリカ

1526	ムガル帝国成立
1600	東インド会社（英）
1602	東インド会社（オランダ）
1616	後金成立
1631	李自成の乱（〜1645）
1636	後金が国号を清とする
1644	明滅亡

■日本

1543	鉄砲の伝来
1553	川中島の戦い（以後5回）
1555	厳島の戦い
1560	桶狭間の戦い
1568	織田信長が足利義昭を奉じ入京
1570	姉川の戦い
1571	織田信長による比叡山焼討ち
1572	三方ヶ原の戦い
1573	室町幕府の滅亡
1575	長篠の戦い
1582	本能寺の変／山崎の戦い
1583	賤ケ岳の戦い
1587	バテレン追放令
1590	小田原征伐
1592	文禄の役
1597	慶長の役
1600	関ヶ原の戦い

1775	アメリカ独立戦争
1776	アメリカ独立宣言
1783	パリ条約
1789	フランス革命
1789	ワシントンが米初代大統領に
1804	ナポレオンが皇帝として即位（仏）
1805	トラファルガーの海戦
1805	アウステルリッツの戦い
1806	神聖ローマ帝国滅亡
1812	アメリカ＝イギリス戦争
1812	ナポレオンのロシア遠征
1814	ナポレオン退位／ウィーン会議
1815	ワーテルローの戦い
1830	七月革命（仏）
1845	テキサス併合（米）
1846	アメリカ・メキシコ戦争
1848	二月革命（仏）
1853	クリミア戦争（～1856）
1861	南北戦争（～1865）
1866	プロイセン・オーストリア戦争
1870	プロイセン・フランス戦争
1871	ドイツ帝国成立
1878	ベルリン会議
1898	アメリカ・スペイン戦争

1796	白蓮教徒の乱（～1804）
1816	ジャワ、オランダ領に
1819	シンガポール、英領に
1840	アヘン戦争（～1842）
1851	太平天国の乱（～1864）
1856	アロー戦争（～1860）
1857	セポイの反乱
1858	アイグン条約／天津条約
1858	ムガル帝国滅亡
1860	北京条約
1877	英領インド帝国成立
1884	清仏戦争（～1885）
1885	天津条約
1898	フィリピンが米領に
1900	義和団事件

1603	江戸幕府成立
1614	大坂冬の陣
1615	大坂夏の陣
1633	鎖国令
1637	島原の乱
1651	由井正雪の乱
1703	赤穂事件
1825	異国船打払令
1837	大塩平八郎の乱
1841	天保の改革
1853	ペリー浦賀へ来航
1860	桜田門外の変
1863	薩英戦争
1864	禁門の変
1866	薩長同盟
1867	大政奉還
1868	戊辰戦争
1877	西南戦争
1889	大日本帝国憲法発布
1894	日清戦争
1895	日清講和条約／三国干渉
1900	北清事変
1902	日英同盟
1904	日露戦争

8
激動する世界

大正デモクラシーから治安維持法まで

1912年（明治45年）、明治天皇が亡くなり、皇太子が即位し、大正天皇となった。日本において「元号」が使われるようになったのは645年の「大化」が最初だが、ひとりの天皇の時代はひとつの元号という「一世一元」になったのは、この明治が最初であり、また、その元号が天皇の「諡《おくりな》」になるのは、明治天皇が最初だった。

大正時代は、「大正デモクラシー」という言葉に代表されるように、日本に民主主義が根付きかけ、文化も発展した時代だった。その一方で、産業の発展により、貧富の格差も生まれ、劣悪な労働条件に苦しむ労働者が多く、ロシア革命の影響を受け社会主義運動も始まった。

政治体制としては、明治以来の藩閥支配体制が揺らぎ、政党が強くなっていった。その指導者となったのが、尾崎行雄・犬養毅らだった。

1918年（大正7年）に米騒動が起き、社会が騒然とするなか、原敬が、史上初の「平民宰相《さいしょう》」となった。それまでは爵位を持つ者が総理大臣に任命されていたが、史上初めて、衆議院議員が総理大臣になったのである。だが、原は暗殺されてしまった。

1923年（大正12年）に関東大震災が起き、多くの人命と財産が失われた。1925年には、普通選挙法が成立する一方、治安維持法も制定された。

各国を巻き込んだ最初の世界大戦

20世紀初頭、バルカン半島は、「世界の火薬庫」と呼ばれていた。一触即発の状態だったのである。

ヨーロッパの列強諸国は、ドイツ、オーストリア、イタリアが「三国同盟」を1882年に結成し、それに対抗すべく、フランス、イギリス、ロシアが「三国協商」を結び、二大勢力となっていた。

バルカン半島は、オスマン帝国が支配していたが、帝国の力が弱まったので、民族間に独立運動が盛り上がっていた。ところが、この地域には、スラブ系、ゲルマン系、ハンガリー系、アジア系の人々が複雑に入り混じっていたので、民族運動といっても、単純ではなかった。

1908年、オスマン帝国で、青年トルコ革命が起きた。これによってブルガリアが独立し、ボスニア・ヘルツェゴヴィナはオーストリアが併合することになった。だが、ここに住んでいるのはユーゴ＝スラブ族だったので、セルビアとしては、これを取り返し、民族統一を果たしたいところだった。

1912年、ロシアの支援を受けたセルビア、モンテネグロ、ギリシャ、ブルガリアの四国がバルカン同盟を結成して、トルコと戦い、この第一次ブルガリア戦争で勝利した。だが、勝ったバルカン同盟は、ブルガリアと他の三国が対立してしまい、これが第二次バルカン戦争へ発展、ブルガリアが敗北する。敗北して孤立したブルガリアは、三国同盟に助けを求めていた。

　そんな情勢のなか、1914年、オーストリアの皇太子が、セルビア人学生に狙撃されたのである。オーストリアはセルビアに宣戦布告した。

　オーストリアに味方したのが、ドイツで、これを「同盟国」という。これに、トルコとブルガリアも加わった。一方、セルビアには、ロシア、イギリス、フランスの三国協商の国々が味方し、さらに、アメリカも加わり、合計27カ国がこちらに参戦、「連合国」となった。こうして、ヨーロッパは空前の大戦争の舞台となった。第一次世界大戦である。日本も連合国の側についた。

　科学技術が発展していたドイツは、毒ガスを開発したり、戦車、潜水艦を用いるなど、近代兵器を駆使して戦い、戦況は当初は同盟国側が優勢だった。だが、1917年4月にアメリカが連合国に加わると、劣勢に転じる。

　1917年11月、ロシア革命が起きると、新政府は国内の安定を優先させるために、ドイツと単独講和を結び、戦線から離脱した。

　1918年11月、帝政反対と即時講和を求める声が高まっていたドイツで、革命が起き、帝政が倒されてしまった。新政府は各国と休戦協定を結び、第一次世界大戦はドイツの敗北で終った。

　パリ講和会議で、戦後処理が話し合われ、ドイツはすべての植民地を失い、アルザス・ロレーヌをフランスに返還し、多額の賠償金を戦勝国に払うことになった。さらに、国際連盟の設立も決まった。

　日本は第一次世界大戦では、イギリスの求めに応じて連合国側として参戦したが、ヨーロッパにまで兵を出したわけではない。中国のドイツの租借地に侵攻し、山東省の青島を占領した。

　これをきっかけに、日本の中国大陸への侵略が本格的に始まっていくのである。

ロシア革命はどう展開したのか

　ロシアは、長く続いた農奴制のおかげで、ほとんどの国民は教育を受けてなく、文字も読めなかった。だが、そのロシアも19世紀終わりから工業化が始まり、都市労働者が生まれた。

　その労働者たちも貧しく、大地主の貴族たちとのあいだの貧富の差は広がる一方だった。そのなかから労働運動が芽生え、社会主義運動へと発展していった。

　１９０５年、第一次ロシア革命が起きた。戦艦ポチョムキンでの水兵の叛乱、鉄道員組合のストなどで皇帝の政府は打撃を受け、言論の自由と集会の自由を認め、国会の創設を約束せざるをえなかった。

　だが、農民や労働者の貧困という根本的な問題は少しも改善されなかった。

　そんな状況でロシアは第一次世界大戦に参戦したわけだが、国力がもたなかった。経済基盤が弱いところに、戦争に莫大な国費を投じたため、大インフレとなり、民衆のあいだには戦争継続への不満が蓄積していた。

　１９１７年３月、各地で労働者が集会を開き、それが大きなうねりとなり、皇帝は退位に追い込まれ、３００年続いたロマノフ王朝に終止符が打たれた。

ケレンスキーを首班とする臨時政府ができるが、第一次世界大戦を継続したため、国民の支持を失い、さらに混乱した。そこに、亡命していたレーニンが帰ってきた。

レーニンは、ロシアの貴族の家に生まれた。兄が革命運動に身を投じ、皇帝暗殺計画に加担したため処刑されてしまった。その兄の影響でレーニンも共産主義者となった。逮捕、投獄、シベリアへの流刑という苦しい時期を過ごした後、亡命し、国外から革命運動を指導していた。

11月、ついにレーニン率いるボリシェヴィキ（多数派、という意味）は、ペトログラードで蜂起し、臨時政府を倒し、世界初の社会主義政権を樹立した。

だが、憲法制定会議の選挙では、社会革命党が第一党となってしまった。レーニンは武力で議会を解散し、ボリシェヴィキの一党独裁体制を確立、それとともに、ボリシェヴィキは共産党と改称した。首都はペトログラードからモスクワへ移った。

新政府には課題が山積していた。まず、1918年に単独でドイツと講和した。一方、革命の波及を危惧するイギリス、フランス、アメリカ、日本が、ロシアの反革命派を支援した。反革命軍と戦うため、レーニンは赤軍を組織し、反撃に出るとともに、反革命派を弾圧、逮捕、投獄しまくった。

非常事態を乗り切るために、戦時共産主義体制を敷いたが、1921年にはこれをやめ、新経済政策（ネップ）に転換し、一部、資本主義的制度を取り入れた。

1922年、ロシア、ウクライナ、カザフカス、ベロルシアの四国は、ソビエト社会主義共和国連邦を結成した。その後、ソ連は15カ国まで増えていく。

レーニンは革命から7年後の１９２４年に54歳で亡くなった。その後継者となったのがスターリンだった。

スターリンは、工業化を推進し、遅れた農業国から大工業国への国家改革を断行した。

一方、共産党内での政敵を陰謀により次々と粛清し、独裁体制を築いた。戦後のスターリンの死までのあいだに、国家に逆らったとして粛清された人の数は、一説には１０００万人ともいわれている。

世界恐慌がもたらした新たな事態

１９２６年12月、大正天皇が亡くなり、皇太子が天皇として即位し、元号は「昭和」となった。

第一次世界大戦により、日本は好景気にわき、経済発展を遂げた。しかし、欧米各国の生産力が回復すると、日本の輸出は激減し、「戦後恐慌」と呼ばれる事態になった。

そこに、関東大震災による手形の焦げ付きが累積していたのがひびき、銀行への取り付け騒ぎが置き、１９２７年に「金融恐慌」となった。

田中義一内閣の高橋是清《これきよ》蔵相は、モラトリアム（支払い停止令）を発して、この急場をしのいだ。

田中内閣は、社会主義勢力に対する弾圧を強めたことでも知られている。１９２８年（昭和3年）の3・15事件、翌年の4・16事件で、共産党系の活動家を大量に検挙した。また、治安維持法が改正され最高刑が死刑になった。

１９２９年（昭和4年）10月24日、ニューヨークのウォール街で、株価が大暴落し、「世界恐慌」となると、日本にも波及し、翌年、金解禁を契機として「昭和恐慌」が起き、未曾有の不景気が国民を襲った。欧米各国は植民地があったので、どうにかしのぎ、立ち直ったが、植民地をもたない日本とドイツは、なかなか立ち直れず、これは、ドイツではナチスの台頭を招き、日本では軍の独走・暴走をもたらす背景となった。

ドイツで政権を取得したナチス

帝政が倒れ、共和国となったドイツは１９１９年に、世界で最も民主的な憲法といわれたワイマール憲法を制定した。自由な世の中の到来を受け、映画など新しい芸術も栄えた。

一方、第一次世界大戦の敗北により巨額の賠償金を払わなければならなくなったことから、超インフレが国民を襲った。そこをアメリカの大恐慌に始まった世界恐慌が襲い、失業者が増え、国民の不満は爆発寸前となっていた。

そうした国民の不満を煽り立てて、１９３２年の選挙で圧勝したのが、ヒトラーを党首とする国家社会主義ドイツ労働者党（ナチス）だった。ヒトラーは翌年、首相に就任し、失業を減らすなどの実績を残した。

社会主義国のソ連を牽制する意味で、他の欧米各国は、ナチスを黙認した。政権獲得から4年で、ドイツは経済成長を遂げた。

第二次世界大戦はどのように推移したのか

日本では軍部の独走が始まった。満州事変を起こし、清の皇帝だった溥儀を皇帝とした満州帝国を建国した。これが日本の傀儡《かいらい》政権であることは明白だったので、国際連盟はこれを認めなかった。すると、日本は国際連盟を脱退してしまった。こうして日本は世界から孤立した。味方になるのは、ドイツとイタリアというともに全体主義国家だけだった。

一方、中国は孫文の死後、国民党政府が、後継者の蒋介石が共産党排除を決めたため、共産党は反政府の立場をとり、毛沢東が農村地帯でのゲリラ戦で政府軍を苦しめていた。毛率いる共産党は、江西省に臨時政府を樹立し、中国には、北京の国民党政府と毛の臨時政府と、二つの政府がある状態だった。しかし、1935年には、日本の侵略に対抗するため、国民党と共産党の間で和解が成立した。

日本は1937年7月、盧溝橋事件をきっかけに日中戦争に突入した。

ヨーロッパでも戦争が始まった。ドイツの国内が安定すると、ヒトラーは、世界征服の野望に燃え、1939年にポーランドに侵攻した。これに反発するイギリスとフランスがドイツに宣戦布告したことにより、第二次世界大戦が始まったのである。

翌年、ドイツと同盟していたイタリアも参戦、フランスはあっさり降伏してしまい、パリはドイツが占領した。日本はドイツ、イタリアと三国同盟を結んだ。

1941年6月、ソ連との間に不可侵条約

を結んでいたにもかかわらず、ドイツはソ連に侵攻、独ソ戦が始まった。同じ年の12月には、ドイツ、イタリアがアメリカに宣戦、日本も真珠湾攻撃によってアメリカとの戦争を始めた。

ドイツの国内ではユダヤ人の虐殺も始まっていた。戦況は、最初はドイツ軍が優勢だったが、１９４３年から米英を中心とする連合国軍が優勢となり、１９４４年のノルマンディー上陸作戦でドイツ敗北は決定的となる。１９４５年４月、ヒトラーは自殺し、ドイツは連合国に降伏した。

最初は優勢だったが、だんだんに劣勢になったのは日本も同じだった。１９４２年６月には、ミッドウェー海戦で大敗した。形勢を立て直したアメリカは、南方の島々を次々と攻略、１９４４年からは日本本土への空襲も始まった。

１９４５年３月には東京大空襲、４月には沖縄にアメリカ軍が上陸し悲惨な戦闘となり、８月には広島と長崎に原爆が投下された。本土決戦を叫ぶ声も軍部にはあったが、昭和天皇はポツダム宣言を受諾し無条件降伏することを決断した。

新しい世界の枠組み 国際連合の誕生

１９４５年10月、国際連合が発足した。戦勝国である米、英、仏、ソ、中の五カ国が安全保障理事会常任理事国となり、国際政治の主導権を握った。

五ヵ国は拒否権を持っていたため、冷戦時代を迎え、米ソの対立が深刻化すると、国連はあまり機能しなくなった。

敗戦国のドイツは、東側をソ連が、西側を米英仏が占領し、そのまま東西に分裂し、二つの国家となった。

東ドイツ地域にあったベルリンは、さらに東西に分かれ、西ベルリンは東ドイツのなかで陸の孤島のような存在となった。東から西への流入を防ぐため、1961年、東ドイツ政府は、西ベルリンを囲むように156キロにも及ぶコンクリートの壁を築いた。

この「ベルリンの壁」は東西冷戦の象徴とされた。

これがなくなるのは、1989年。それまで何千もの人々がこの壁を突破しようとして殺された。

一方、日本はアメリカの占領下に置かれ、マッカーサーの主導のもと、民主化されていった。

東京裁判で戦争責任者の罪が問われたが、昭和天皇の責任は問われず、天皇制は象徴天皇制として継続することになった。

1946年に新しい憲法、日本国憲法が帝国議会で可決され公布、1947年5月から施行された。主権在民、平和主義、基本的人権の尊重を三つの柱とするもので、日本は民主主義国家として生まれ変わった。とくに「戦争の放棄」と「非武装」は、当時の国民の「戦争はもういやだ」との思いを反映するものでもあった。

1951年、サンフランシスコで講和会議が開かれ、日本は主権を回復し、アメリカによる占領は終わった。だが、日米間で結ばれた安全保障条約によって、日本各地に米軍が駐留することになった。

中華人民共和国の成立と朝鮮戦争

日本敗戦によって、中国では国民党と共産党が一時的に和解したものの、すぐに内戦となった。当初の勢力比は、国民党4に対し共産党1でしかなかったが、共産党は農村部で次々と勝利した。都市部でも国民の支持を得て、1949年1月に北京を制圧、その年の9月、中華人民共和国の建国を宣言した。国民党は台湾に逃れ、そこに中華民国として存続した。

朝鮮では戦争中から日本からの独立を目指す運動が展開され、1943年にはカイロ宣言によって、戦後の独立が約束された。

だが、日本が敗戦で撤退すると、米ソが北緯38度線で朝鮮半島を南北に分断して、それぞれを占領した。

1948年、アメリカ主導により、南部が大韓民国として独立した。一方、ソ連は北を金日成を中心とする朝鮮民主主義人民共和国として独立させた。こうして、南北の二つの朝鮮が固定化された。

1950年、北緯38度線での武力衝突が全面戦争に発展した。朝鮮戦争である。当初は北が優勢で、一時はソウルを占領、釜山にまで兵を進めた。だが、ソ連欠席の状態で国連安全保障理事会は北を非難し、国連軍の派遣を決めた。

国連軍の指揮をとったのはマッカーサーだった。マッカーサーは日本に駐留していたアメリカ軍を朝鮮半島に送り、大韓民国軍を支援した。国連軍の反攻はすさまじく、北朝鮮軍は退却、国連軍は一時は平壌にまで達した。これに脅威を感じた中国は北朝鮮支援の兵を送った。戦況は一進一退だった。結局、1953年に停戦した。

この朝鮮戦争のおかげで、日本経済は立ち直った。

中東戦争という悲劇の裏側

こんにちまで解決しないパレスチナ問題は、もとをたどれば、ユダヤ人が古代ローマ帝国の時代に、弾圧され、各地に離散したことにある。ユダヤ人の悲願は、パレスチナの地にユダヤ人の独立国を作ることだった。

そのパレスチナにはアラブ人が住んでいた。第一次世界大戦でユダヤ人の協力を得ようと、1917年にイギリスの外務大臣は、パレスチナにユダヤ人の国家を建設することを約束し支援すると宣言した。その一方で、アラブ人にも、パレスチナにアラブ人の国家を作ると約束しトルコとの戦いに協力するように求めた。これが、こんにちのパレスチナ問題の直接的な原因である。

第二次世界大戦後、国連は、パレスチナをユダヤ人とアラブ人とで分割する案を提示し、ユダヤ人はこれを受け入れ、イスラエル共和国を建国した。世界中にいたユダヤ人たちは、続々と、民族の故郷であるイスラエルに戻ってきた。

だが、アラブ諸国はイスラエル建国に反対し、戦争となった。1948年、56年、67年、73年と、アラブ諸国とイスラエルの間では中東戦争が繰り返された。

その間の1964年にパレスチナ解放機構（PLO）が結成され、1974年には国連でPLOの代表権が認められた。1993年、PLOとイスラエルのあいだで、暫定自治協定が結ばれ、その三年後にはパレスチナ自治政府ができた。だが、その後も情勢は混迷している。

次々と独立を果たした旧植民地

第二次世界大戦が終わり、米ソの冷戦が始まるとともに、アジア、アフリカでは、植民地となっていた国々が独立を果たしていった。

かつてはオランダの植民地だったが、1942年から日本の支配下にあったインドネシアは、1945年の日本敗戦とともに独立を宣言したものの、再植民地化を狙うオランダが、それを認めず戦争となっていた。それに勝利して、1949年、独立した。

ベトナムでも、日本が撤退した後にホー・チ・ミンを代表とするベトナム民主共和国として独立したものの、再植民地化を狙うフランスが、これを認めず戦争が始まった。1954年に休戦となったが、南北に分断された。

北はホー・チ・ミンを大統領とする社会主義国、南は自由主義国となった。アメリカは南が社会主義化されるのをおそれ、ベトナムに介入するようになる。南ベトナム政府は、地主優遇の政策をとったため、農民の反発を招き、反政府運動が起き、南ベトナム民族解放戦線が結成され、北がそれを支援し、ゲリラ戦が展開された。

1964年、アメリカ軍は北ベトナムへの

爆撃を開始した。ベトナム戦争（ベトナムでは「アメリカ戦争」という）の始まりである。軍事力では圧倒的に勝っていたはずのアメリカ軍は密林でのゲリラ戦に悩まされ、苦戦した。

核兵器以外のあらゆる兵器が投入された。なかでも枯葉剤は、後々まで環境と人体に影響を与えた。

アメリカ国内でも反戦の声が高まり、1973年にアメリカは撤兵を決め、1975年、南ベトナムの首都サイゴンが陥落、翌年、南北が統一され、ベトナム社会主義共和国となった。

インドは古代四大文明発祥の地のひとつで、古い歴史をもっていたが、イギリスにいいようにされ、1858年、植民地となってしまった。20世紀に入ると、民族自立の気運が高まり、その指導者のひとりがガンディーだった。

第一次世界大戦の際、イギリスが、戦争に協力したら独立を認めると約束したので、インドは兵を出した。だが、戦後、イギリスはその約束を守ろうとしないどころか、インド総督の権限を強くする特別法を作った。

ガンディーは労働運動にかかわり、非暴力による反帝国主義的抵抗運動を続けていた。1947年、ついにインドはイギリスから独立した。だが、ヒンドゥー教とイスラム教の対立が激しく、ネルーを首相とするインド連邦と、イスラム系のジンナーを総督とするパキスタンとに分離してしまった。1948年、ガンディーはヒンドゥー教徒により暗殺された。

アフリカで独立国だったのは、第二次世界

大戦までは、わずか四つ、エジプト、エチオピア、リベリア、南アフリカだけだった。

　1950年代から次々と独立していき、1960年には17もの独立国が誕生し、「アフリカの年」といわれた。

　1963年、アフリカの独立や民族紛争を解決するためにアフリカ統一機構が結成された。

イラン革命が塗り替えた中東地図

　中東地域では、西欧流の近代化が推し進められていた。20世紀に入り、石油の発掘が進むと、一部の富裕層をますます豊かにはしたが、民衆はその恩恵を受けることができず、不満がたまっていた。そんな背景のもと、イスラム原理主義運動が盛んになってきた。

　その運動が爆発したのが、イランだった。一九七九年、パリに亡命していたホメイニによるイラン革命が起き、国王は追放された。

　イランのイスラム革命が自国に波及するのを恐れた中東各国は、イランと距離を置くようになり、イラクのフセイン大統領はイランの混乱に乗じて侵攻した。8年にわたり続くイラン・イラク戦争が始まり、1988年の停戦まで続いた。

　イラクは1990年に、クウェートに侵攻し、一気に全領土を併合した。国連はこれを批判し、アメリカを中心とする多国籍軍が結成された。アメリカはクウェートの石油資源をなんとしても確保しなければならなかった。こうして始まった湾岸戦争により、クウェートは解放された。

冷戦の終焉が世界を変えた

第二次世界大戦後、東欧諸国はソ連の影響下で社会主義政権が樹立されていった。ワルシャワ条約機構が結成され、事実上、ソ連の支配下にあった。自由化、そして民族独立の運動は盛り上がっては、弾圧された。

１９５６年、ハンガリーでソ連の支配下にある政府に対する叛乱が起きたが、ソ連軍に鎮圧された。

１９６８年、チェコ・スロヴァキアでドプチェク第一書記のもと、社会主義の枠組みのなかでの自由化政策がとられたが、これもソ連により弾圧され、ドプチェクは失脚した。

１９８０年、ポーランドでワレサを議長とする「連帯」が、自由化を求めた。

そのつど弾圧していたソ連も、１９８０年代に入るとアフガニスタンへの介入が泥沼化し、また硬直した官僚体制のもと、経済は停滞し悪化するなど、行き詰まってきた。長く続いたブレジネフ体制が終わると、高齢の指導者が短期間で交代した。１９８５年、ゴルバチョフが書記長に就任し、ペレストロイカ（改革）とグラスノスチ（情報公開）政策を打ち出し、ソ連の改革に乗り出した。それに伴い、東欧各国でも共産党体制が崩壊し、自由化・民主化が進んだ。

１９８９年、ベルリンの壁が崩壊した。翌年、ドイツは統一した。１９８９年暮れには、ソ連から距離を置いていたルーマニアでも独裁体制が崩壊し、チャウシェスク大統領が処刑された。

1991年、ソ連は崩壊した。その中心であったロシアでも共産党は政権を失い、エリツィンが大統領となった。

ヨーロッパの新しい動き、EUの誕生

第二次世界大戦後、ヨーロッパは、資本主義の西側と、社会主義の東側に分かれていた。そのうちの西側諸国は、欧州共同体（EC）を結成していた。冷戦終結後、そのECが発展し、1993年に、欧州連合（EU）として、生まれ変わった。経済、政治、軍事など、あらゆる面での統合を目指し、すでに通貨はユーロに統一され、またEU内ではパスポートなしに行き来できるようになっている。

現在、25の国が加盟しており、これは、かつてのローマ帝国の領土とほぼ同じである。

二千年前の帝国は、長い歴史のなかで、分裂、内紛、独立、統合を繰り返し、ついにまた、ひとつになろうとしているのである。

21世紀とはどのような時代なのか

事実上、世界唯一の超大国となったアメリカを、未曾有の惨事が襲った。2001年9月11日、イスラム系テロリストによる、ニューヨーク、ワシントンなどへの同時多発テロである。

アメリカ政府はこれを「戦争」だと宣言し、テロリストが潜んでいるとされるアフガニスタンや、当時大量破壊兵器を持つとされたイラクを攻撃した。

■世界史・日本史年表Ⅳ

■ヨーロッパ・アメリカ・ソ連（ロシア）

1914	第一次世界大戦（〜1918）
1917	ロシア革命
1919	ベルサイユ条約
1920	国際連盟成立
1921	ワシントン会議
1922	ソヴィエト連邦樹立
1925	ロカルノ条約
1928	ケロッグ・ブリアン協定
1929	世界大恐慌
1933	ナチス政権樹立（独）
1939	第二次世界大戦（〜1945）
1941	大西洋憲章
1944	連合国軍がノルマンディ上陸
1945	ヤルタ会談／ポツダム宣言
1945	第二次大戦終結／国際連合成立
1959	キューバ革命
1963	部分的核実験停止条約
1967	EC発足
1970	核拡散防止条約
1989	マルタ会談
1990	東西ドイツ統一
1991	湾岸戦争
1993	EU成立
1999	EUがユーロ導入
2001	ニューヨーク同時多発テロ

■アジア・中東・アフリカ

1911	辛亥革命
1912	中華民国建国
1915	フセイン＝マクマホン協定
1932	上海事変
1936	西安事件
1946	アジア諸国の独立がすすむ
1948	第一次中東戦争
1949	中華人民共和国建国
1950	朝鮮戦争
1955	バンドン会議
1956	第二次中東戦争
1960	アフリカ諸国の独立がすすむ
1962	中印国境紛争
1965	ベトナム戦争の激化
1966	文化大革命
1967	第3次中東戦争
1969	中ソ国境紛争
1973	第4次中東戦争／石油危機
1975	ベトナム統一
1979	イラン革命
1980	イラン・イラク戦争
1989	天安門事件
1990	イラクがクウェートに侵攻
1997	香港返還
2001	中国がWTOに加盟

■日本

1910	大逆事件／韓国併合
1914	第一次世界大戦に参戦
1915	二十一ヵ条の要求
1918	シベリア出兵
1923	関東大震災
1925	治安維持法／普通選挙法
1927	第1回山東出兵
1928	第2回山東出兵／張作霖爆殺事件
1931	柳条湖事件／満州事変
1932	五・一五事件
1933	国際連盟より脱退
1936	二・二六事件
1937	蘆溝橋事件／日中戦争
1938	国家総動員法
1939	ノモンハン事件
1940	日独伊三国同盟
1941	太平洋戦争（〜1945）
1945	ポツダム宣言受諾
1947	日本国憲法施行
1951	サンフランシスコ講和会議
1951	日米安全保障条約
1956	国際連合加盟
1972	沖縄返還
1973	オイルショック
1992	PKO協力法成立
1995	阪神淡路大震災

■参考文献

『世界歴史事典』平凡社
『角川世界史辞典』角川書店
『世界の歴史』中央公論社
『ビジュアルワイド図説世界史』東京書籍
『世界史図録ヒストリカ』山川出版社
『山川世界史総合図録』山川出版社
『世界史年表』岩波書店
『世界史年表・地図』吉川弘文館
『詳説日本史研究』山川出版社
『角川日本史辞典』角川辞典

編者紹介

歴史の謎研究会

歴史の闇にはまだまだ未知の事実が隠されたままになっている。その奥深くうずもれたロマンを発掘し、現代に蘇らせることを使命としている研究グループ。人類の歴史をひとつの「流れ」で整理したこの本なら、日本史と世界史がひと目でわかる。教科書とはひと味違う大人の歴史教室！

この一冊《いっさつ》で日本史《にほんし》と世界史《せかいし》が面白《おもしろ》いほどわかる！

2007年1月5日　第1刷
2007年2月5日　第2刷

編　　者　歴史《れきし》の謎研究会《なぞけんきゅうかい》

発行者　小澤源太郎

責任編集　株式会社プライム涌光
電話　編集部　03(3203)2850

発行所　株式会社青春出版社

東京都新宿区若松町12番1号〒162-0056
振替番号　00190-7-98602
電話　営業部　03(3207)1916

印刷・図書印刷株式会社　製本・大口製本

万一、落丁、乱丁がありました節は、お取りかえします

ISBN4-413-00868-5 C0020